WILDLIFE

Word Search & Doodle

L U W I H R V I Q L S W P Z B M C Z D T
Y E X K G G Y V A W R Z R H L O H P S F
I L B W S L E E T S X T E T N T A U Z S
Y C T R D Q B J T W A D F R F X P W W P
D I I D I T B F I F C R T F O C P V Z P
O T O C H C I R I Y I A V S Y Z I F V Z
K S W H L R E H C G G Z Z P O K N T R T
Y T B Z D E B H I P U Z Y Q W R G E R F
L J L N J E I D L J S I K G J I F U Z F
B G U F R L R N Z J T L K Y D K N Z S I
P X S A L V I E J J S B O U C Z R D B M
T F T Y B S V Z I Y N Z X W K E V Z Y U
V L E R R C L O P C G Y M P D R B K E T
C U R A E M C R F U N X P D V V G C Z V
I R Y F V T H F Y F P Y U A K Q L C E W
T R F L I F I C D R S H U T D O O U E P
C I T A H O L D R D S Z N G V S V H R E
R E A K S W L D A H T D D Y I N E G F B
A S A E Y W S T C K N R E C V O S V F V
J L Q S R Q R N T S V M V Y L W E F M E

COLD SNAP

- ARCTIC
- BLIZZARD
- BLUSTERY
- CHAPPING
- CHILLS
- CHILLY
- DRIFTS
- FLAKES
- FLURRIES
- FREEZE
- FRIGID
- FROST
- FROZEN
- GLOVES
- GUST
- ICE
- ICICLE
- SHIVER
- SHUDDER
- SLEET
- SNOW
- WINDY
- ZERO

A I T L H G D S H R Y B X N M A S K E J
N M M K W J N D B A X U D U D H X U L R
U F T C V X A I N W B K J O R L U T U P
T G G U R Q J S R Q H N U I C Q R W C I
J C V D F T A W A R S W M Y Q U A I L K
C G M O A G U J B H E P M A X W T R N E
E D G H F X Z B B B Z H J E V O E E R G
S B P J G I C Y I I I H Q U I T N Q F B
U B T I O I Y F T L I A F R S E M A L G
O J R N O K H W S J A V B B R C A R O L
R Y L E S C N F V V C H O O U T C B U W
G U E H E N Z I U I H L A H S N K N N H
E L Q K Z M I C D T I N I V A A E O D N
R C V C R L X Y G E C M G M G S R M E O
M A C N H U U S S K K R E S T A E L R I
M T G A Q I T H E Z E C G L T E L A A K
F F S F V R Y S Y N N F M R U H Z S E A
N I K W R I D P A Q W Q O Y D P V Y G E
B S J H G C A N Y A F U X N L K I L O T
V H V L N Z A R N P T X E N B Z L I A S

FOOD FOR THOUGHT

- CATFISH
- CAVIAR
- CHICKEN
- DUCK
- FLOUNDER
- GOOSE
- GROUSE
- HALIBUT
- HERRING
- LOBSTER
- MACKEREL
- PHEASANT
- PIKE
- QUAIL
- RABBIT
- SALMON
- SHRIMP
- STEAK
- TROUT
- TUNA
- TURKEY

S T V G I H J U O F R S Z W N Y D B S Z
S Z N N P R H Q V X N G L O A R S L D K
F N Y I S N D I N C O T E H P O U N F I
W R G S I O F E V D E X C S T T S P R S
S A B G A M E A V A H Z L I Z S L L I U
C E E P K Q N D C E E V N Q G A E J E P
H L H S V A X H M E L S L W Y L D C N P
O C A E M L E O I H T O I P Z F K L D O
O H V L J R T P Y R L Q P Z X X P A J R
L I E U M I A C U A Z Z U P D D V Y U T
K L F R V I R C Q L C P P U U H G G T O
P D N A N A T E X E R C I S E P E I U S
U R T T Y Y R T J Y H Q G X Z R P S Y A
O E Z O S B D O T C H A L K U W N E T F
R N N M M E Y I W H G C N T A R B L T E
G S O I X L V Z A E J I C V N P A G M T
V O I C E I V A F Z O I B I M U I U T Y
R O I L T P A S T E P E A V G S S O G J
S T Y C K B J D R A W R K H B I Y O U J
E K A J Q G R U B S T Z A G C S B N O Q

NURSERY DAYS

- ACTIVITY
- BEHAVE
- CHALK
- CHILDREN
- CLAY
- CRAYONS
- DEVELOP
- DRAW
- EXCITE
- EXERCISE
- FRIEND
- GAME
- GROUP
- INSTRUCT
- LAUGH
- LEARN
- MOTIVATE
- MUSIC
- NAP
- PAINT
- PASTE
- PICTURE
- PLAY
- PUPIL
- PUPPET
- PUZZLE
- ROOM
- RULES
- SAFETY
- SCHOOL
- SHOW
- SING
- STORY
- SUPPORT
- TEACHER
- TOYS
- TRAIN

R F C Y S O K F E Y B F I G M K J X U N
E J J X Z R A Z U R E J V P K U R L U O
D Z D Z B A B S M H X K I N C T O P D O
N Y N X I N W P U R P L E A V I F Q X R
E Q L B P G C G O F G P H T Y C D O V A
V M W X R E G L M J K Z H T W E C B A M
A C T Z S O P F O V L D B R R R B S U I
L P U W K H W E T H N F G U B E E X Q Q
S U E J Q H L N A S A O L L L V I F A Z
C T H Y R C I I V C L R X Q U L G O I X
A U I D Q L N K I D H E F N E I E O V U
R R Z N O V K A W A K H S N Q S A E I H
L Q P U Y Z V G X O D W I R H R T V M E
E U I G Y J I Z J W L U U X G I V E E N
T O N R V S U N A B M L A X H R S X A O
G I K U A R V X N I C W E W Q B E G N V
A S K B N R U F P E X J S Y Y L E E Y I
W E W J L R B L A C K C B H Z O P B N L
F C R T C Y S D P X S U U C M S O Q R W
N N G E Z P H G P V V Q G B T Y U S Q Y

COLOURFUL

- AQUA
- AZURE
- BEIGE
- BLACK
- BLUE
- BROWN
- BURGUNDY
- ECRU
- GOLD
- GREEN
- LAVENDER
- MAROON
- NAVY
- ORANGE
- PEACH
- PINK
- PURPLE
- RED
- SCARLET
- SILVER
- TAN
- TURQUOISE
- WHITE
- YELLOW

B U L B S F D R J C A N D L E L A M M K

A L R K A U E E L U M N J S W O A C V F

I L N D G L L W A D L B T H V N H H Z S

H I R R I C H M O H C O Y U M V I M Y E

S R G O E H Y S C E V C E G J Z T R G T

J G R O F T L L V E I X S Y W N K S W X

Q B A P I X N I O R R H E A T L A M P S

Q M Q U R S A A E T O A H M R A G A O E

R M K P E F I T L M N T C T B T F P R H

V Q H T Y V L J L M E E M I A U Y R H C

C H I M N E Y E Y X R E N P D B R C R T

X F W G M R P A W F R E S V Y M R N A A

U T V S G R O A S T G A P L S O Y V C M

W S X A B K Q S H V T O O P T W A N O E

O K C J F D F E P H E A X E E L A V L G

D L S A W K U T E H V Z M U R P E T L N

Z H C N L U G S B F Q A A H I N W L E Y

W J J D N D U V V K L F Q L D M L Y D R

X L C E N N Q Z U F S E K Z B N H L L D

U U G I P C S V S V H D U L B F O F T E

HOT STUFF

- ACID
- BATH
- BLAZE
- BROILER
- BULBS
- BURN
- CANDLE
- CHIMNEY
- COAL
- FIRE
- FLAME
- GRILL
- HEAT LAMP
- IRON
- LANTERN
- LAVA
- MATCHES
- OVEN
- PEPPER
- ROAST
- SCALD
- SMELTER
- STOVE
- THE SUN
- TORCH
- WATER

K W R Q T B L A R P R D T G L X F B E P

R C J G F W E S E B E B X Y R Z E F M J

C D A V F E W B D M H I S U F F S S T A

T R D R L B E V G T T J E B T Y T P A D

N A O E D E J Z I S A O Q F O X O A T R

E G T W L W S X N I E U U F Z W O N T L

M S G O V F Q N G I F I I K N T N G I N

A D C L C L F E I G R N N A K U G L N Y

N I N A A I R U N T G C N Y Z F B E G H

R A K C L I P I R E R E R G O T U M M N

O R E Y B L K T C I O E B Q F T T Z P E

P B K B T C O N W Y D U H E R A T S U L

L V O I O L U P R I D S C H I S O Z Q F

U N T M M O E I O T R F N E L S N G G R

M H S D L G C R O B E A D H L E W E E O

E I R F Q K B B E P K M U C D L M G G U

G Y P R R M A C H U J H L A D T P T N F

V Z C A E J C G G I C O Z N T T R O I R

D E C O R A T I O N D F J A H I M P R O

G K C H I J B S R M V K C P M R J F F U

ALL THE TRIMMINGS

- BEAD
- BIJOU
- BOW
- BRAID
- BUTTON
- DECORATION
- EDGING
- EMBROIDERY
- FEATHER
- FESTOON
- FLOUNCE
- FRILL
- FRINGE
- FROG
- FROUFROU
- GEM
- JABOT
- JEWEL
- LACE
- ORNAMENT
- PANACHE
- PICOT
- PLUME
- RIBBON
- RICKRACK
- RUFFLE
- SCALLOP
- SEQUIN
- SMOCKING
- SPANGLE
- TASSEL
- TATTING
- TINSEL
- TRIM
- TUFT

F Y C Q B R I F Y U N E T F T A L K A P
K E V O E Y B M M J A L D X B O O M M I
Z Y M N A Y O M D G R B C S T A T E I S
H D I I A E S Q I Y Y M S P E A K K O S
W H R Q T V X B L E L U Z X X J E B X O
W A G S I N G D K L A M S F K S S E E G
M J Q D L O Z E R L L T P K O E N Z L B
S S Y Y L C U L E P U B A L R O S R B N
T A D R K B A I T T I Y C V R C H K B T
A Y C R N D P V T W U S E D S H A U A E
M X U F E B V E U S I R K Q I O T I B Z
M G M Q A P R R C D R O R C R R Z Q Z V
E S T R B M S O W I J R A C H B R L F O
R O K L F L M I B J Y C M E Z A G V I I
F C U U V M A A H T L J E P L N T T A C
M R M U E S G T Y W J C R I S T A T E E
T Z M N S K U N A M U T T E R I T R E V
X Q T E Y O X R W U F B W A X Q L A K R
L J R K H X D W E W F H E F M E R W R R
J T S S P Z R M E X P R E S S W L S Y P

SPEAK UP!

- ASSERT
- BABBLE
- BARK
- BLURT
- BOOM
- CHATTER
- COMMENT
- CONVEY
- CROAK
- DELIVER
- DISCLOSE
- DRAWL
- DRONE
- EMIT
- EXPRESS
- GAB
- GOSSIP
- LISP
- MUMBLE
- MUTTER
- OBSERVE
- PRATTLE
- REMARK
- SAY
- SHOUT
- SING
- SOB
- SPEAK
- STAMMER
- STATE
- STUTTER
- TALK
- UTTER
- VOICE
- WHINE
- WHISPER
- YAK
- YELL

V Y P C X K L X P X K F M J H H J H Q M
M I V O T G L S A X P O K O R J D T G O
E E S L P J Y Y C R G I Z W V L S K S B
S E Z A V W X K K L H Y C Q C W D I N O
I X R B S B D Q L B P C I X B I X F O N
G T M P Y D R X Z O V J Z C C A I C I V
H T A L Y P A S S P O R T T T R C A T O
T M S F Q E H F G Q D I I V S R X V A Y
S T B F L I G H T M R O A H B M A K V A
E A P T T C J E B A N H O B S N S V R G
E X E V N Y E L C A M P H Z I A A V E E
S B S E E A W E R L X U E E A D S J S L
B D I T Q D R Y D W P D V G T Z M U E F
X M U A K W I U K R L V T A L S O W R O
O U R L K X L U A P A J I G E K T N I R
N E C U W K Q N G T N N N G T Q S J H E
P S D S E A A P S W S I K U O S U X V I
Q U I N K Z R U N Z I E J L H J C Z X G
X M M O N G T D K Y E L R O W H X G A N
U B R C D M Q U H T O U R E U P O E O L

HOLIDAY PLANS

- BON VOYAGE
- CONSULATE
- CRUISE
- CUSTOMS
- DICTIONARY
- FLIGHT
- FOREIGN
- GUIDE
- HOTEL
- LUGGAGE
- MAPS
- MUSEUM
- PACK
- PASSPORT
- PLAN
- RESERVATIONS
- RESTAURANT
- SHOP
- SIGHTSEE
- TAXI
- TOUR
- TRAVEL
- VISA

P J G E H O N I T O N P R K E I H L D V

T U X G R I Y H A M L E T V Y S B P B J

A C X A C S Z T D M V C O Q S V W I G C

F P S L I R L L C I O C I D E L H R B I

E H I L L S E E R A I L Q G X S E R R N

I X P I J H J D S N U I Z G M S Q E W E

O W E V B E P T I S K F P A O S E M N C

Y E Y T F F C E H T N F W R O B E O I S

F N R V E X Z A X E O S T K R T V V D Q

J Z E A T R L G B E I N W L Y E H X A Y

W B E W R D B G Z P C I P D D P S W V C

S S Q Z O Q N Y U C X S L N Y A I A O C

Y H T N P J T O R Q U A Y A Z I L T C T

F K O A C J W E B D F Y M S K G W E Q A

N V N R N I A R S D T M O Z Q N A L U M

T I P O E M I E H D O S U D G T D Q A A

W E I P Q X N O Z V R B T Z Y O K L Y R

W W E C H T T Q V M B V H I Z N I R Y D

V S R A O E Q T G D A R T M O U T H K N

I K M T L D M Q U J Y G L I C M H A X E

DEVON

- BEER
- BRIXHAM
- CAVES
- CLIFFS
- COAST
- COVE
- CREAM
- CREDITON
- DARTMOUTH
- DAWLISH
- DEVON
- EXE
- EXETER
- EXMOOR
- HAMLET
- HILLS
- HONITON
- HOTEL
- LYN
- PAIGNTON
- PIER
- PLYMOUTH
- PORT
- QUAY
- RESORT
- RIVER
- SAND
- SCENIC
- SEA
- SHALDON
- SHORE
- TAMAR
- TAW
- TORBAY
- TORQUAY
- TOTNES
- VIEWS
- VILLAGE

D X X M B N C F D F U Q B C Z R O H Y C
H C I X S E E I T R E N E P E E K A F Y
C S N C A F S G E E C Y D S E D Z Q U T
T E F W P C G E L F N V X R R N V M H Z
A L T P E A R B E L A T B V U A M G P G
W G M R P A U F S E L N F I T G I G H H
F O N E L N O D C C G I R S C S H L D H
C I S G P E K R O T D U C I I J O I Y P
I P S E S E W K P I U Q R O P B Z M B E
Y T E T G V A J E O B S P N S O P P P C
T P U G K I G W O N M E F E G S D S V I
U D N O P E N I N G R H R L J S W E I E
Y A O G V W S F F I W V A K P Y T Z S Z
D U E B R C J Q S D E S U E D E C D U A
E R G W A E A C L K S N C R F V E R A G
R O N N C V O O O F X T I I V R P A L G
A R A E W P H U O E A L R M E U S G I A
T R R Q E E O C K T Y Q R E A S N E Z F
S I R I B O U I O D S E P E I X I R E S
P M Z X S S U R L P D H W H D Q E S V R

TAKE A LOOK

- BEHOLD
- DISCERN
- ESPY
- EXAMINE
- EYE
- FOCUS
- GANDER
- GAPE
- GAWK
- GAZE
- GLANCE
- GLARE
- PEEK
- GLASS
- GLIMPSE
- INSPECT
- MIRROR
- OBSERVE
- OGLE
- OPENING
- PEEP
- PEER
- PERISCOPE
- PICTURE
- RANGE
- REFLECTION
- REGARD
- SCAN
- SEE
- SIGHT
- SPECTATOR
- SQUINT
- STARE
- STUDY
- SURVEY
- TELESCOPE
- VIEW
- VISION
- VISUALIZE
- WATCH

U Q M O N O L O G U E W S F G A F C W I
U Y H Y Z O S A R D O N I C U D R O L L
T A B S U R D F K W O C J B C N I H K W
B V J T R A V E S T Y Y H Q A R N U J H
R A M U S I N G U K L E O U E J R Y Y X
O C O M E D Y F C O H E B K C K Q R E S
A S C P T T A O O O W U C I C K O E P S
D U J N T R M F W C U I P O G T L I L W
E O B U C V I L H E N U T S S X U E F Q
L U B E N R S O L S N S G K W Q O N E L
I R W W O I R G B S G M N J E B N S B H
M G A N W T G L W N T F Z O N U E P Q V
S N Y P L I M A I O M R E K A F L O H X
O O W E G J F H P L T S W E H F I O T H
P C T Q E F G U E J C I B D N O N F R N
D N I S U U T R K W T T O E Z O E L I I
W I T G A O I H A T F C W V L N R I M R
W E T L N T S G Y K I O G X A L S O K G
R X E X A Z S J A P E M U I T B O F Q J
R A R S C O M I C L R O A R S V N W P G

WHAT A WAG

- ABSURD
- AMUSING
- BELLOW
- BROAD
- BUFFOON
- BUTT
- CHORTLE
- CHUCKLE
- COMEDY
- COMIC
- DROLL
- FARCE
- FOIL
- FOOL
- FUNNY
- GIBE
- GIGGLE
- GRIN
- GUFFAW
- HOWLS
- INCONGRU-OUS
- IRONY
- JAPE
- JESTER
- JOKE
- LAUGHING-STOCK
- MIRTH
- MOCK
- MONOLOGUE
- ONE-LINERS
- PUNS
- PUT-ON
- QUIPS
- ROARS
- SARDONIC
- SATIRE
- SITCOM
- SMILE
- SNICKER
- SPOOF
- STORY
- TITTER
- TRAVESTY
- WAGS
- WITTY

O M P F T Y T K Z W I N P E R E L A Y S
I O W E I L P N S Q M N P M Y W S H M T
R T E A C N T H I Q Q U G O U E G K N R
T M O W I R I L I O Y G D Y H J J K T I
Q L O J A N L S H Q P R U E Z Y U K O D
A A A T R A R Q H L O X A N F L D Q E E
D P S P I D W T K H E T M Z A E G K B K
P H D R T G N N C K U W E I X B E R O L
N W T A Y I X N A A P P C O L S C A A A
R B L W R R A P R M A I V L H E I M R W
Q U Q P G C T Z T T F J H O J D R E D G
D H S E R D E Q A F F F T P X G C B U R
I Y S Q G T H C O X O P S L T D L D R E
S M C A W A H U T L U D X A E N E S I M
C P V O D N F A R T W T L N A I L Q S I
U M R B A T O N M D L Q D E M W R K F T
S H P Y X G T P K M L W P D R A C E H T
T B A B R E V P X R E E R U N N E R I I
D J A V E L I N Y B Q R J R T B B Y R A
W K P G G F J O Z P O L E V A U L T L O

ATHLETICAL

- ANCHOR
- BATON
- CIRCLE
- DASH
- DISCUS
- FINISH
- GUN
- HAMMER
- HEAT
- HURDLE
- JAVELIN
- JUDGE
- JUMP
- LANE
- LAP
- LEG
- MARK
- MEET
- MILE
- OFFICIAL
- POINT
- POLE-VAULT
- RACE
- RELAY
- RUNNER
- SHOT-PUT
- SPRINT
- START
- STRIDE
- TAPE
- TEAM
- THROW
- TIMER
- TOE BOARD
- TRACK
- TRIAL
- WALK
- WIND

E P E M B E L L I S H K T U Z Y H Q G Y
N J F F T F W L R E W R I T E E C M I M
L E P D E C O R A T E M E R C L I V X E
A S R M S T A I M E W Y A N A Z R G K N
R A E P A Q D K Q C H L A R A W N A J D
G E F C F V N D H C L H I P P P E C U L
E R O M N O E N V Y N F R P R O M O T E
G C R J D E U R Q E Y E G H I E Q R X K
N N M D S T R E N G T H E N R R T R K B
A I A A V A Q E E D T U T U I O E E V R
H Y B L J V P I W A S Q T R E P I C V E
C F O T Y I E D I F Y R T L E E Q T E N
D I R E R T P N N I U S E R V H H U S O
Y T G R I L C P M N U V F O N F E P I V
I U A H Y U Q P W J A E L D L X R L A A
M A N U U C R M D T C V N K E V O I R T
F E I C L O C A E T E J S Z W Z T F G E
V B Z H V J K U V I P S C O J Y S T R V
W D E E P Q Q C R D E D U C A T E B U Y
H X K Q R E F I N E P K N P Q I R W Z S

MAKE IT BETTER

- ADD ON
- ADJUST
- ALTER
- BEAUTIFY
- CHANGE
- CLARIFY
- CORRECT
- CULTIVATE
- CURE
- DECORATE
- EDIFY
- EDIT
- EDUCATE
- ELEVATE
- EMBELLISH
- ENHANCE
- ENLARGE
- ENRICH
- EVOLVE
- HEAL
- IMPROVE
- INCREASE
- MEND
- NURTURE
- ORGANIZE
- PERFECT
- PROMOTE
- RAISE
- RALLY
- REFINE
- REFORM
- RENOVATE
- RESTORE
- REWRITE
- RIPEN
- STRENGTHEN
- UPLIFT
- VAMP

R V W P A N N X Y N B U L W A R K T V A
Z E I F X A S O V E E X G O M X J T A X
G S F X P D H W I A C E S X S S L K G P
N A R U D L I S S H S D R T S I T X E A
I F T U G T E F L S S E A C R K U F N C
L E X E D E L N L H Y U D A S O C V T O
I B O Z Y P D E A C A Q C I S M C E U V
A I W S K A S S W A V V T D H P Q S D E
R E K A T K F T J D K W E E E I H C E R
W H H N O D F J V C H A L N L E C O I A
A N X C W X U A Y D G T S T T J I N N L
R I G T E U C L E E S C E R E Z T V S A
R K S U R Y T L Q F D H C O R C A O U R
A S T A E A M E H E R M U C S K D Y R M
N Q O R P S Y R W N A A R K N V E H A S
T Y O Y O D C B M D U N I S O T L B N B
Y S B U K Z P M P Z G N T P P J R Q C N
P N Q C V B S U K U Q H Y A A Q Y O E E
A O N C L O T H I N G E R D E Z F T P T
S A D R Q T R D C H T Q Y S W V L A O S

ON GUARD!

- AGENT
- ALARM
- ARIL
- BOOTS
- BULWARK
- CITADEL
- CLOTHING
- CONVOY
- COVER
- CUFFS
- CUSHION
- DECKS
- DEFEND
- ESCORT
- GATE
- GUARDS
- HAVEN
- HIDES
- INSURANCE
- NEST
- NETS
- PADS
- PORT
- RAILING
- REFUGE
- ROCKS
- SAFE
- SANCTUARY
- SCREEN
- SECURITY
- SHELTER
- SHIELD
- SKIN
- TOWER
- UMBRELLA
- WALLS
- WARRANTY
- WATCHMAN
- WEAPONS

D M O V N I G H T M A R E Y D C L C Q K

Y A E H G U D U B T R V Q P Z N E V O M

F J Q A S X Q E Q U S L T G E T V O E Y

E A P W N F W C Z A X A N P E U P W F K

E E N V R U O L O C T I P R U O Q L U S

K H S T G L S Z H G L A P E F L U C N Q

A R L F A P R C Q E H R S L R M W W N I

W Q E Q W S H C E P E O T I A H I H Y O

A N E C N Z Y F H T P P N Y U F Q X V C

P I P T N Y L Q N O C N E S S W E E T V

F C Y K A E R I O D R X V A L F K Y F R

N U R D P E U E I Z F G E M V I W D G I

U V A R L R P L D I R Q K E B F O T C Z

Z M C E X E E E F N D L Z T U Y Z A U S

H X S A Y B O F R N O S E M A N S J Q T

A B H M L M D M Z W I W O Z W A E W B R

E I A X C E Z X D T E B R S G K C C X A

L D E X G M R X D F W Z G T B K A B B N

I E A F I E U K E L P O E P J M L D Q G

W F N I J R S F P J C T O Z T V P S U E

IN DREAMS

- AWAKE
- COLOUR
- DREAM
- EVENTS
- FANTASY
- FEELING
- FUNNY
- HAPPEN
- INFLUENCE
- INTERPRET
- MEAN
- MOVE
- NAME
- NIGHTMARE
- PEOPLE
- PLACES
- REMEMBER
- REPEAT
- SAME
- SCARY
- SLEEP
- STRANGE
- SWEET
- WONDER

F P R A N C E D N H K B O A B L X L P P

A A B M I T A I E O O S R O A D W E I J

K A Z F R K D F C J R P B M C T N K T B

T E Y A S C F U N E C R Y F A V S U K O

W T T I D L K K U L R I D H R P E M O R

Q S R M W E U R O O I N F L A E L Z E B

T F F T I A D Y B I C G D S C B O C E Y

R M S U G R W F Q R K Z M A O O I G L D

A L W Y R A C E A B E Q Q L L L R G B V

M O G G A T Z P E A T R X T E T P S G B

P B H O P R Q B T C U E D A L Z A Q Q E

O M T Q T O P A P D W P I T B H C T L A

L A L P L V A L H J Q P D I O L B D O G

I G O M U A E L L U R O O O M U R T O O

N G V O A C L E R R Z H X N C U T P R R

E R I R V N B T Q E I S R K H H U U A F

J U M P E V B X W G J S C A P E R H G P

N X E S Y R K L H L R A C C Q A V G N A

R J D H I C U R V E T R N Y P H T U A E

D P O U N C E U S A E G Z A N T I C K L

JUMPERS

- ANTIC
- BALLET
- BOB
- BOLT
- BOUNCE
- BOUND
- BUCK
- CABRIOLE
- CAPER
- CAPRIOLE
- CARACOLE
- CAVORT
- CLEAR
- CRICKET
- CURVET
- DEMIVOLT
- DIDO
- FRISK
- GAMBOL
- GRASSHOPPER
- HIGH
- HOP
- HURDLE
- JUMP
- KANGAROO
- LEAP
- LEAPFROG
- POUNCE
- PRANCE
- RACE
- ROMP
- SALTATION
- SKIP
- SPRING
- START
- TRAMPOLINE
- VAULT

B E Y A T A B O O H Z I Q M F N A P V L

C A N C E L Q D H R F F Y Y S P T E R Q

L S E D U I B D L O H H T I W D U A P

P R O S N E C B E D G N I U O U Y Q B R

B Z P T G H Z M F X Y E V S L U H K E E

Z L K F I R M Z Y F C N D C F A T L D V

Z O O K R Q E O A O K L E U H K C H N E

I M I C A E G D Q R L R U G A Q U L O N

M P Q N K E S A N B P T D D S C R A A T

F R S P N Q I T I I D Q E D E H T G S L

Y O X J C F L N R D H L N I R E S E I A

U H O M Y K T Y F A L P I S U C B L N H

Y I F H Y E Z Z Z E I R E A D K O L H R

N B P V R A B A R T E N D L E L U I I S

R I J D V X U R G S E D P L P P T T B N

A T I R S L E G T S E M K O R M L U I I

L C T I Q F L R O N N X L W I L A Q T X

T D I G U Z I P Y F A B G V V Q W Z I Q

R B C S Y C P O M L B I V X E C D N N B

Z Z E S T O W D E M B A R G O A D C G E

OBSTRUCTION

- BAN
- BAR
- BLOCK
- CANCEL
- CENSOR
- CHECK
- DEBAR
- DENIED
- DENY
- DEPRIVE
- DISALLOW
- EMBARGO
- ENJOIN
- EXCLUDE
- FORBID
- HALT
- HINDER
- ILLEGAL
- INHIBIT
- INTERDICT
- OBSTRUCT
- OPPOSE
- OUTLAW
- PRECLUDE
- PREVENT
- PROHIBIT
- REFUSE
- RESTRAIN
- RESTRICT
- TABOO
- WITHHOLD

D K X U U B K Z B C D I N E R F B B R C
X I D H D A Z U I J C W U N P R Z I Q N
V Q S W T N A N T N V E M E O W G T S X
Y W U H U Q B E B Y B K L H D I G E C S
X B O J K U W M Z H G B Q P S A T A E T
V D F H Q E R M J R A D P I K S D R A J
M O F I C T N P U T I Q Q C V S E E O J
T O F E A S T B T N T E Q N S C L M H P
T F M L P R C H N T D L W I O O A G A T
O P L A T E O E S T J E F C F X O F Y R
E N T R E E R A E I D N I B O O P U E B
A K S C T R P I W N O C O L T M R B V L
V K Z S E E D E T I A N P E R O J D M T
I D A B R L S U T N I L K M E R C A E B
X T B B H R O A A B U C E D A S H Z R R
R N C T U K R P B I A A N O T E C S H N
T H S O O C E L T N L M L X O L N W C J
R X C O K O E Y S B E A N L W T U P N V
K G C I M S U P P E R Z R A O K R O U H
R H B U F F E T K L T V J H S S B Y L P

BITE SIZE

- BANQUET
- BEAN
- BITE
- BRUNCH
- BUFFET
- CAFE
- CANAPE
- CHOW
- COOKOUT
- COURSE
- DIET
- DINER
- DINNER
- DISH
- EAT
- ENTREE
- FEAST
- FOOD
- GRUB
- LUNCH
- MEAL
- MENU
- MESS
- MORSEL
- NIBBLE
- ORDER
- PICNIC
- PLATE
- PORTION
- RATION
- REPAST
- SNACK
- SUPPER
- TABLE
- TASTE
- TREAT

```
H B M R D K O H Q B V V Q D O Y N I Y B
F A H L T R A U R T F B W C E R P E E B
V H M K P O A F L A A E J K L S A R I T
E X I A I R C B S L V J U Y T L R T A A
V T F C R Q A A N K E T O B T D C H E O
H Q A E Y Z S G I G R S N F A F U S S P
K T L L O R S M Y M K J D E T K K Z Q M
A Q D B E R E G E P T D Y U S K P S K X
Y Z N C D R R O X R W N S G I S R S S A
W D A L W T T D P E M Y A M W Z I D C C
C X R N R Q Y L L A R P P R B T D D X M
J R R G D C Y O O C O E Z B P V V O I R
N M A U Q O S C D H F D G C I B V X E L
C P T V B A B S E L N G F O H F J Z L N
H Z E J E C P N R U I B D P R A I E R H
V X Q X T L O T A J P A K A H G T Q O M
A C T A E L U V O D Q P G F O G Y T N B
W E Y Y P O P R O T E S T L S Z Z I E Z
K I G A P X T A Z M A L U I P O Z E V R
F L T S S M P X L F P E L E X K O G R O
```

FUSS POT

- ASSERT
- AVER
- CHATTER
- DISSENT
- EULOGIZE
- EXPLODE
- FUSS
- GAB
- INFORM
- NARRATE
- ORATE
- PREACH
- PROTEST
- QUARREL
- RANT
- RAVE
- RELATE
- SCOLD
- SPOUT
- TALK
- TATTLE
- TELL
- YAK
- YELP

E E W G R A P H I C P Q Z P U W B V V J

L N K D T Y N J S C C H A P T E R X G V

T U I B T W I T Y L M V A I S S U E C N

I V Q E X R X T H R I L L E R S S N W E

T B G S Y E E A W S T S J P V G W R S P

Q L A T T E R K W S E C N I I P I K E Z

E I J S B Z Z E A N R Z R R A T S C G F

S N Y E D X Y F T I E A Q P E H P A A G

L E E L T A L E M I R T E R O L F B P N

C S V L P Q N E M E R R T L D I V R U I

D A O E D C F Z V C W W M I C E R E U T

W W L R E K H O M O U Y E T R Z K P T S

L N A S A O C A R A S P I P M W N A P E

I O O B I O P D R T E O A R Y H R P B R

A I Q V D B S V E A N X K U S T A Y X E

T T O D E X F R Q I C P K I T E Y L X T

E I Z L A L Y A I S L T L J T H B W I N

D D C L M U N C C Q K B E N O H O B S I

F E S A S T O R Y T U U D R F G B R E R

J X D T R E P Z H P A M B N S P R Y C G

BESTSELLER

- AUTHOR
- BEST SELLER
- BOOK
- CHAPTER
- CHARACTERS
- COVER
- CRIME
- DETAIL
- EDITION
- FACT
- FAST
- FICTION
- GRAPHIC
- IDEA
- INTERESTING
- ISSUE
- LINES
- LOVE
- MYSTERY
- NOVEL
- PAGES
- PAPER
- PAPERBACK
- PEN
- PUBLISH
- SENTENCES
- STORY
- TALE
- TEXT
- THRILLER
- TITLE
- TYPEWRITER
- WORDS
- WRITER
- WRITTEN
- YARN

Z X S T F F E R O I S S D B H J C C F I
P U L V E R I Z E I R M U E S Q S T S N
X S Z C G P A N E A I R A P S E U R K G
C E D Y R K W C E X S S I S V T E X W H
U D P E S U R T T T P L E A H V R R N W
T I T J T D M M J U C L T V E E E O C R
S V B R L A N B I U R S O S A C S E Y E
T I R H M C C E L N M E T D K H H F P S
E D S F V T S H R E C B I D E O S D K T
N A O H L V W C J Q M E L R G R A T E S
B L R D X F L A K E S W P E E X O J Z W
O P A U S R L S U N P I S R S N A S V F
H G R H E E B E P J K U C C W S T H W C
M R U Z Z V T I X A I R R R E X P A E H
G I I E A I M F A Y N U Z C U A O T N O
I N N C R L F N E S N S I K R S V T L P
L D S R Z S V W E C T D R T T F H E T S
R S N E O O V V H F L A L Y F M W R R F
A K O I F Y I S D E M O L I S H Q S I T
E C T P Z R Z M R S S I F G W B M I M B

TORN APART

- BASH
- BURST
- CHOPS
- CLIPS
- CRUMBLE
- CRUNCH
- CRUSH
- CUTS
- DEMOLISH
- DESTROY
- DETACH
- DICES
- DIVIDES
- EXPLODE
- FLAKES
- FRACTURE
- GRATES
- GRINDS
- JUMBLES
- MINCE
- PART
- PIERCE
- PULVERIZE
- RAZES
- RENDS
- RENT
- RIVES
- RUINS
- SEVERS
- SHATTERS
- SHAVES
- SLIVER
- SMASHES
- SNAPS
- SPLIT
- STAVES
- TEARS
- TRIM
- WRECK
- WREST

C N A F X I Y A H Z E D A V I D M L L G
E A E M O B W A O L J N D M V G E L M O
S H T O G D R O I B G B H J N I E H G L
A T I S B A E J P O G O H N N B O A G I
U A S E S O A L O J S C Z A E T E I H A
L N A S A H P V I K C A D Z Z X V M Y T
E O I R G J R M Y L X J E U I L E E A H
B J A U K B L N H R A J O W Y D L R R E
A C H T E E N M O Y D H U U N W U E A S
L U A H U O A U M A N T K N H B V J A T
C I M M S I W Q D L H N C O A Y U R R H
D A A M R S R E B E K A H V X H N I O E
T S A I H U S O L O M O N N H O T I N R
O S M S G T A B R A H A M I P E A A V I
L N D J I K O G M W D C A M E P N P N C
D I J O D M O L W V R P Q A S O D O Z I
K A O S E A L T X T I Y O J O Q J S C A
P C N H O D U E W T H W I N J W Z M L H
W H A U N A A C M X Q P X E Z Z Q W S Y
U H H A P D S A Q T E N M B L K V I J H

OLD TESTAMENT CHARACTERS

- AARON
- ABEL
- ABRAHAM
- ADAM
- BENJAMIN
- CAIN
- DANIEL
- DAVID
- DELILAH
- ELIJAH
- ENOCH
- ESAU
- ESTHER
- EVE
- GIDEON
- GOLIATH
- ISAAC
- ISAIAH
- JACOB
- JEREMIAH
- JEZEBEL
- JOB
- JONAH
- JONATHAN
- JOSEPH
- JOSHUA
- LOT
- MIRIAM
- MOSES
- NATHAN
- NOAH
- REBEKAH
- RUTH
- SAMSON
- SAMUEL
- SARAH
- SAUL
- SOLOMON

V X C Z U L B L D B V A G D T W D E F X
H C C K E O E Y F C G E W E L R I H P H
Z T L E C G K R Z D W C L F A E R D L O
H Q R L J T D V R Y R T A K B X I F X G
M N N A M Y S I F A N O N J R S F H T S
A X X W E L J R R U B A K N I G H T S E
L R E Z A H I W A B T O T S M M K T S K
O I R N Y A L G O K W S Y Y O B X X G A
U M C O R G J L E L P A R F N C I B N T
L E U G W L O Q U E S L R E K I H P I S
C V X A G S U L A J A T L D S J F K K N
Q I C T I V S R R V E I R E T A Z N D S
U T U R Z C T D I E B S C A T V O A U T
E O X A H A O H C T V N T L C E T V N E
E R B P E W C O U S O I U E J L R E G E
N C M M T Z R R T C E P U R R I U S E D
Z H O A L O R E S O A D K Q Q N O Q O T
T Z A R N E I O X T B S O W R Q C Z N T
F W T E T N A E A V I S O R F K C J H L
D G T Q U F N C C A S T L E B X Q S O J

DARK KNIGHTS

- ARROWS
- BARREL
- CARTS
- CASTLE
- CATAPULT
- CHIVALRY
- CORONET
- COURT
- DRAWBRIDGE
- DUNGEON
- FRIAR
- GAUNTLET
- HEARTH
- JAVELIN
- JESTER
- JOUST
- KINGS
- KNAVES
- KNIGHT
- LANCE
- MOAT
- MONKS
- OXEN
- QUEEN
- QUIVER
- RAMPART
- SCONCE
- SHIELD
- SPEAR
- STAKES
- STEED
- STEIN
- TANKARD
- TORCH
- TURRET
- VISOR

G R J Y B F K A R B U A C O I R A C T C
C K S A M B A L A H F H B O L E R O P H
J L T Y M E K L Z N O B W Q A J K D M X
I T P C H U L O O P A D M R Z D E I A M
T T E X H E S T W L H T D N E I L P Z A
T D Y U T A S I L C J C M F I E Y C U M
E A J H N E H R C A K L O P O N L H R B
R N X P L I O C A A O M T B M X W F K O
B C G R T O M N A G L C T A E B T B A L
U E A G M G O P R H N U N R A P E R R J
G H S H A K E O H T C O H W V A U I O K
C P T G S Q U A R E E Q C T A W W Z U T
K A B S W Q Z M A R A T H O N T I R L F
P Z Y H X A N T B K S C J W D Y T H T E
E S P I T Z T K L I S U H R A A P U R T
L I B M B W O B W A U L C I N L R M N M
L X R M Q J B T U C W Q O G C T K B J Y
U D E Y G M T Y G J I G O E S G I A B U
J T A R A N T E L L A W G M F U Y Q R O
A S K I C J H U S T L E X E T V Z X C M

DANCE PARTNERS

- BALLET
- BALLROOM
- BEAT
- BOLERO
- BREAK
- CARIOCA
- CHA-CHA
- CHARLESTON
- CONGA
- DANCE
- DIP
- FOXTROT
- HOP
- HULA
- HUSTLE
- JIG
- JITTERBUG
- MAMBO
- MARATHON
- MAZURKA
- MINUET
- MUSIC
- POLKA
- REEL
- RHUMBA
- SAMBA
- SHAKE
- SHIMMY
- SQUARE
- STRUT
- TANGO
- TAP
- TARANTELLA
- TWIRL
- TWIST
- WALK
- WALTZ

S T A I D K U C A Q N L U O Z U A W J P
O K E L T N E G Z W J T X Q T E E K A N
X A E T A R E P M E T M A L H C L T X Q
X S E W M F S V T D V Q M O O D I M H T
H R G E S T E E A H Q X Y N Q E I C K C
H C Y B F T R S H F V P Y C N L H F H E
Z Y T O L E R A N T M E Y T D T U W R N
H E L B A B R U T R E P M I K E E M M D
U R O C U E M E A G V S N B O C A Q K U
F X K D J C L O C D G N I O G Y S A E R
I Y V Q K Q O B C I H P O S O L I H P I
I Z S C M X D N A S T W G C A L M U K N
I V A S B Y D T T T F P H L R H L Z G G
G Q R X Y Q Q B A E I D E N A E W G A C
B K L W L E Y J H M N C D A R C Y L D X
R D E S O P M O C K E T X N C Q I J H M
A X N D K S Z Q S B R D N E U E O O O R
M D E T C E L L O C Y Y P I N P F W T B
S U T C I S O B E R C K E U C I H U I S
F R A F I T H Z W U N T C O O L L L L A

BE PATIENT

- CALM
- COLLECTED
- COMPOSED
- CONTENT
- COOL
- EASYGOING
- ENDURING
- GENTLE
- IMPERTURBABLE
- INEXCITABLE
- MEEK
- MILD
- PATIENT
- PEACEFUL
- PHILOSOPHIC
- QUIET
- SOBER
- STAID
- STOICAL
- TAME
- TEMPERATE
- TOLERANT

Z T E T A U T C N U P I M A G I N E M E

N O N F I C T I O N C A Y Z P H X C U I

K Q S B P M D H N O I T O M E L J G P N

U Y Q W A D V E S G G R Z T U A O R T T

H O V S F O T U B X C L N W J L E T T R

J H O N Z V R U R H P A R G A R A P V I

N L V F F D T E B W Z P Q I T R N W C G

B S M F M W M C F A K L D V E C Q S O U

M X U M Q R H V M E Q I D E A L C K C E

Q G F R Y A Z R W L R N O I T C A N I M

Y U H C P S X Y U M W E S A R H P L S G

C J B T P Z T N F R O J N P I P V Z P M

W A E A F M Y E A U R B X C R T W J F O

P R H X R W E X R E D O G E E G U W W P

W M C T M L D Y Z Y B Y S U R W C W O Y

F T N V I B L N X I S E M A P N O J M D

F Y F N Y L I X L K A W M F M S U L L Y

O Y G T P J H N S R Z M Z H M I T P F O

R V S T Y L E N C C A Y R O T S E K N O

R E T C A R A H C R H T E T I R W B Z O

WELL WRITTEN

- ACTION
- CHAPTER
- CHARACTER
- DIALOGUE
- EMOTION
- FEELING
- FLOW
- GRAMMAR
- IDEA
- IMAGINE
- INTRIGUE
- MYSTERY
- NON-FICTION
- PARAGRAPH
- PHRASE
- PLOT
- PUNCTUATE
- REFERENCE
- RESEARCH
- STORY
- STYLE
- WORD
- WRITE

P K Y L L A S W X H Y D R U E H C H G C
D F L O R E N C E X E E K Y A E R O S E
O V N O E L L E B N N L O R A C N D R Q
H U R U B Y E X E C I O E W Z S G E W Q
E Z I Y H K G H R R N H R N L E A H R N
M T S K Y D U J C E O O P E A L R U J E
R J E I F S M N X A H D P E E N I T R L
G W N I R G E O O T R T C A S N O F X L
Y B L N R I W L I S Y X S C L O W M L K
N C Y D H R B I A Q I A T E W R J I W M
E T N U I Y A K B I U L M X H A A J Q J
O O N A K A T H B K N T L Z N G N C P K
C A W M N E N A L I C E I A N G A D A J
S O E P N A E A A N N A D N C T N O A X
L V N A E E S C G C F V Q P H W B I W P
X H J N Q A M U I U T Z I E Z Z S E R E
V F H I I T R R S N F T R P H Y L L I S
P L V U H E M L A J R I D O S S A D Q H
T L Y L L O D B S C N E T A A S L S W H
Y E Q R N O R A J E J G B V Y L I L F B

NAMELY

- ALICE
- ALLISON
- ANNA
- BERNICE
- CARMEN
- CAROL
- CATHERINE
- CONNIE
- DIANA
- DOLLY
- DOREEN
- ELAINE
- ELSA
- ESTHER
- FLORENCE
- GAIL
- HARRIET
- HELEN
- IRIS
- JANET
- JOSEPHINE
- JUDY
- LEAH
- LILY
- LYNN
- MAY
- MONA
- NANCY
- NELL
- NOELLE
- NORA
- NOREEN
- OPAL
- PEARL
- PHYLLIS
- RACHEL
- RENEE
- ROSE
- RUBY
- SALLY
- SUSAN
- WANDA

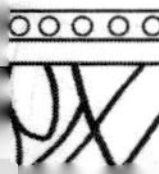

H Z T Y P B M Y E L S R A P T L J S U N
M E H S P Y L O F K L L P W A G A A M G
V C Y N P O R H M H S I D A R E S R O H
X O M P S P P A G A R L I C R C H I L I
P R E X N R E P M E D Y Z T A O Q T B A
A I D Y U C E P Y E P R L E G E A P N U
L A X V V A Y P P H S A A C O U V I R B
L N T G B R Q R A E S O U C N V S P T K
S D M G C A N L K C R L R G A E P K B E
P E U F L W Y Y A R L A T U R M E R I C
I R S X O A I C E I R D U T W B K N V S
C F T D V Y O G V A R R O W R O O T A P
E K A B E B N R N O M A N N I C B G P V
M H R A S I E V C O T S W H X V E H A Y
T P D S G H A K T R V N S E V I H C P D
P W N I C L E N N E F D E E R C U R R Y
T H F L O N I O N G J S H I C L N U I T
I M A R J O R A M A W L F D M A J B K K
N U T M E G I V A N I F T E J I M J A A
W N R Q U L L I D O X C U M I N P Z M E

ADD FLAVOUR

- ALLSPICE
- ANISE
- ARROWROOT
- BASIL
- BAY
- CAPERS
- CARAWAY
- CARDAMOM
- CHERVIL
- CHILI
- CHIVES
- CINNAMON
- CLOVES
- CORIANDER
- CUMIN
- CURRY
- DILL
- FENNEL
- GARLIC
- GINGER
- HORSERADISH
- MACE
- MARJORAM
- MUSTARD
- NUTMEG
- ONION
- OREGANO
- PAPRIKA
- PARSLEY
- PEPPER
- PIMIENTO
- POPPY
- ROSEMARY
- SAGE
- SALT
- TARRAGON
- THYME
- TURMERIC

N O I T C E F F A K M A N M P N D L Y G
V M A X J N W I F E M A L E A E P B K B
A Z Q J T R A E H T E E W S E L V Y X F
L L Z X Y N A P M O C D Q N V G E K A L
E T M D C T J A Z K X O K I S S J I X T
N D S E O O N U C O U S O X Q R U N W D
T A U S U G C C H A R M T W G K P D N T
I R L I R E A U H B E A U T I F U L C Y
N L A R T T K H P Y U F H S Y Z F A T C
E I D E U H O V R I F M M B E Q R R G C
V N O L W E Y R K K D C L L S T O B A V
A G R Z U R P E F G P I D E T M G P O Y
H E E I H F I M N E D D A A A R T Y Q M
A N T L U G R S T O U O D N J I O Y O M
N C J O G G W E N C H E C H V J N U M T
D H D V Q O T O D A R E C A R B M E O I
S A Z E M B E R M N Z T T D M M K F A O
O N P A Z M C B U J O E J P O Q D E A R
M T N C O J D W M S T W W A F F A I R D
E I F R D K W A R M T H R D C A R E S S

LOVE TALK

- ADORE
- AFFAIR
- AFFECTION
- ATTRACT
- BEAUTIFUL
- CAPTIVATE
- CARESS
- CHARM
- COMPANY
- COURT
- CUDDLE
- CUPID
- DARLING
- DEAR
- DESIRE
- EMBRACE
- ENCHANT
- FEMALE
- HANDSOME
- HONEY
- HUG
- JOY
- KIND
- KISS
- LOVE
- MALE
- MAN
- NEED
- PET
- ROMANCE
- ROMEO
- SWEETHEART
- TOGETHER
- TRUST
- VALENTINE
- WARMTH
- WOMAN
- WONDERFUL
- WOO

L R K Q C N I I T Y F D O E S B K J H A
M I C D E O Z E U Z F K C Z R H I E V P
X O C A E L W C P H U N A X H I G E B E
B H L E T D T E M D E S V K W V L P R X
V I V E N T E T R H B U E B C B M I D Q
E A R V C C Y L A H Q I E A M R C B R A
J A H D K U E H W R K A T A N O O A P Z
R W L O I L L N G O R S R J O T A W W X
D E M C K E E E O D F P I J U K I K N B
M L T C U N S R S E U I M T V C S C R U
N H U T E Y B B A R C C T Q T B T W S L
M B Q W A Z F E E B T B I C W R T O N L
I E H V E B X D O G W O O D M E Q R K Y
F L M L Y B A D G E R E D D Z W F M F I
S W G B M B J S S C R A M J J E E W L K
R U O G O K B P C O C K N E Y D E O P J
B L M A V J A Y W A L K C W B O L O I Z
R I R E Z B L U F H T O L S A B N D J U
X D P I G M E N T S G H K S H A D O W U
O U W W R E N C H E J F P T O R T X O F

IT'S A LIVING

- ANTICS
- APEX
- ASPIC
- BADGERED
- BATTER
- BEARD
- BEEF
- BIRDIE
- BOARD
- BREWED
- BUCKLE
- BUGLE
- BULLY
- CATTY
- COCKNEY
- COWER
- CRABBY
- CROWN
- DOES
- DOGWOOD
- FEEL
- FOWLED
- FOXTROT
- HENCE
- JAYWALK
- LICENCE
- MOLECULES
- PIGMENT
- RAMBLE
- RATTLE
- ROOKIE
- SCRAM
- SHADOW
- SLOTHFUL
- WORMWOOD
- WRENCH

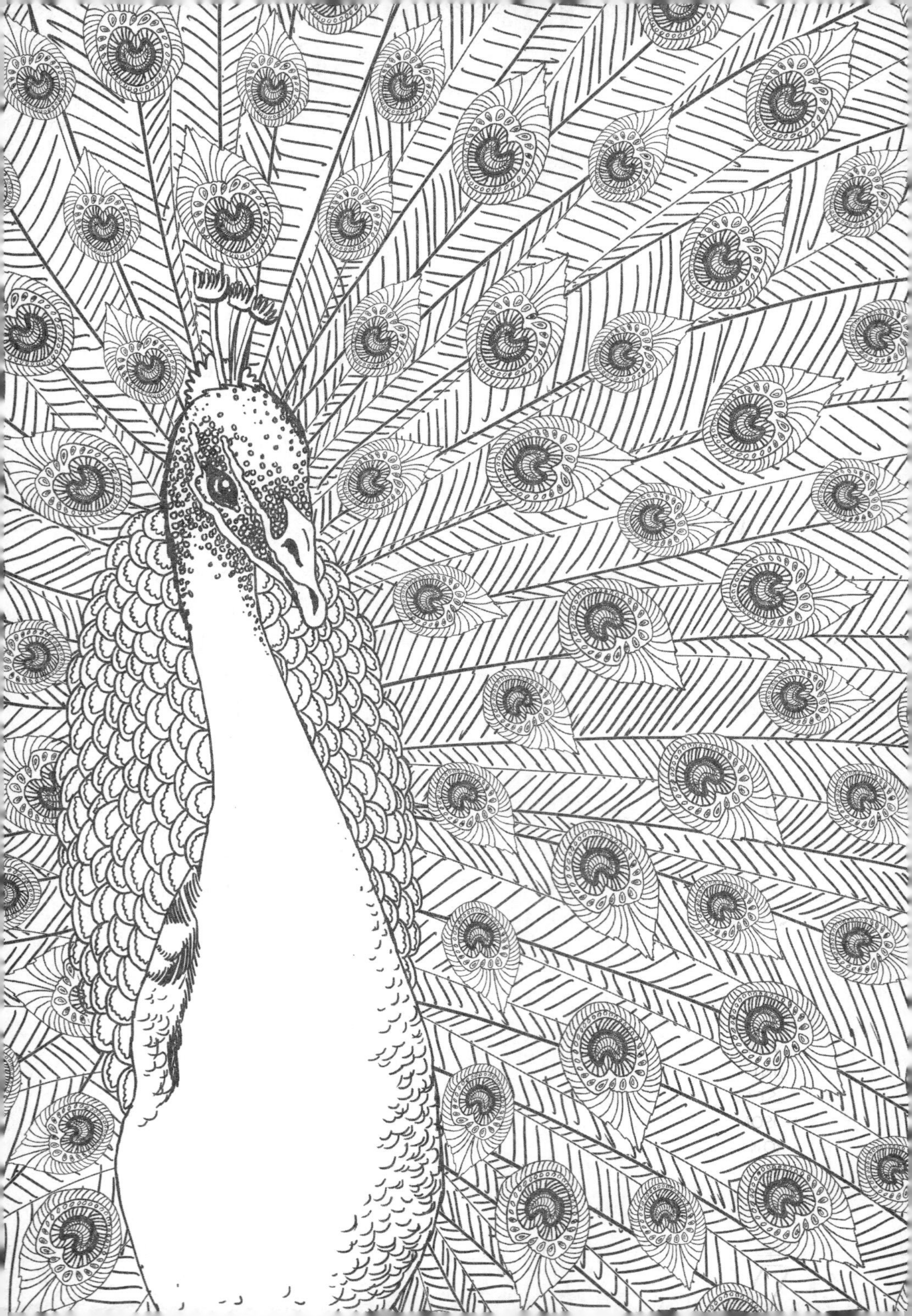

Z N W W H P Z Y W F Z T A T R C P E I N
T Y N H G U Z L U A I P Z V E L V C B U
B S W E E T H E A R T Y A B T R A M V U
Q Z C E A F F A B L E T A R S P B U L H
M M A R T R G A B V A W H V I A Z H A J
Q R B H E Q Y C Y R X T I X S L R C Y C
V M A H Q H W N E R E E P S E O Q S O S
X X T W T D T Y O T T V A P O U H N L J
G A W Q F N B O W M Y P O M W A F A J X
F U F A K E L O M B R O M D R I M G E F
V D R P C I L C S P C A V E D I I R X W
Y S A D O R E L G O T E H A T O E X B T
N N I N M F U Q O E M K N Y L R E W N N
Y E L A P B G B Y W P T R A F R T U D N
N S I R A R A J S O N E I N E V A D P R
O M M G N O E N O K L D O N G V M P V S
R Q A J I T L F H A R C T T C V P X D T
C M F G O H L G T O F R Q Z T D I V W T
N I H C N E O E C T A O X I J P H Z T V
G M Y B K R C B U P X B E S T I S B C Z

CLOSE CONNECTIONS

- AFFABLE
- AMITY
- AUNT
- BEST
- BOSOM
- BROTHER
- CHUM
- COLLEAGUE
- COMPANION
- CONFIDANT
- CONFRERE
- CORDIAL
- CRONY
- FAMILIAR
- FATHER
- FELLOW
- FRIEND
- GRANDPA
- HARMONY
- LOYAL
- MOTHER
- PAL
- PARTNER
- PEER
- RELATE
- ROOM-MATE
- SHARE
- SHIPMATE
- SISTER
- SWEETHEART
- WARM

T P X H S O Y Y C N A F A V T O L P R M
Y J A K C Y G Q L N I M E D U V M E C U
Z O E D I C E D N T U E K A X Y F Z Y U
M X D R E A S O N S P N H G L N F O W X
E S O P P U S C E E O C F Z O I X S B R
R D Q E K V P L T N N R L C N S I L X P
L E I K R E D N O W D X E D R W L E O T
N X S G W T R T L T E L R C R E C A L L
D A K P E O G F A Z R E T L K R B R I G
N M T D M S F P P D V T F J D O L N F W
D I Z I I X T K R I M H A O A N N F A A
N N E Y N M E E E A V L S N C O P S D N
F E T N D L A W N I M X U S F U B S N A
Y C Z H I M G D D E A T R U J B S H I L
N M I J I G Y V E R C X M Y D U T S O Y
O H E E D N A D B E A T I A E G D U J Z
P L A N O B K M L X H G S G R Z Z U Y E
C U E G V Y P F I N O T E W I G X K S F
T R B Q F P E S Y Q G A O R V O H N N C
L Q W P X R S D O O R B O M E O V K Z O

JUST THINK

- ANALYZE
- BROOD
- CONFER
- DECIDE
- DEEM
- DERIVE
- DIGEST
- DREAM
- EXAMINE
- FANCY
- FIND
- FOCUS
- HEED
- IMAGINE
- JUDGE
- LEARN
- MIND
- MUSE
- NOTE
- PLAN
- PLOT
- PONDER
- REASON
- RECALL
- RECKON
- REFLECT
- REGARD
- REVIEW
- STUDY
- SUPPOSE
- SURMISE
- THINK
- WONDER

D M E R R Y E S M G R L K E L K C U H C
C H U J H G U A L A Y C A T S C E U B Z
O P O G J Q K A D P W U X R B E N D E R
M K T L F V U I J B E L G G I G U Z M Z
E D H A R R A Y O J N E P X E E R P S D
D Z R D F N A M U S E Y H T R I M U G Y
Y E I K C W H I R L Q O V T R E A T Q C
D N L E C R K K N A R P B I Q E E L G E
X T L C A D A R A P T U R E Y X A K W L
D E B O P T E J Z S Y T I R A L I H S E
S R F R E M O L P L P T S A E F W C E B
S T S I R L J O I D Y J R U F G U U E R
S A S V L P R P Y G R A D T R O V A C A
E I F Y R T R W K W H N L X O I D T K T
N N L O H L D P V H Y T N P L B F H V E
C K A L O Q R E E H C Z P P I C R T H J
H B P R Y L P F D F O O G I C U Z O U D
A E D Q K C D I U L I L H S L T Y S A O
N A K U N U T N U V E V O L T U K N Z N
T M B W I T N U K Q N T S E J P I F Q M

BE HAPPY!

- AMUSE
- BEAM
- BENDER
- CAPER
- CAVORT
- CELEBRATE
- CHEER
- CHUCKLE
- COMEDY
- CUT UP
- DELIGHT
- ECSTACY
- ENCHANT
- ENJOY
- ENTERTAIN
- FEAST
- FOOL
- FROLIC
- FUN
- GIGGLE
- GLAD
- GLEE
- HILARITY
- JEST
- JOKE
- JOLLY
- LAUGH
- LOVE
- MERRY
- MIRTH
- NUT
- PLAY
- PRANK
- QUIP
- RADIANCE
- RAPTURE
- SILLY
- SPORT
- SPREE
- THRILL
- TREAT
- WHIRL
- WIT

E L K N I W T X G O B B N U V L W N R T

R A D I A N C E R L A E M E G Z Q T D W

C A C F R R N V Q X A T L L T N G L O W

M R E M M I H S U P G N A U Q H B C D S

E R A L F W M A E L G R C V S T G A I T

E T A I D A R Q B X E N D E X T P I J P

H X K E X U E R E M M I L G L H R Y R A

S N P B Z Q T G L I S T E N U M O O O B

H S N W I A E Y F R G L O S S E B F U D

E H H L S O L I D M D H X K L G U Y X S

E I V A O O V G P A D J O K A R S S Y X

N N K A B R L T O G U X R T B X F Q H M

O E F I P T X K L U A A U I I B M B A K

F L A L D M G F I J P G S C C E H T M U

L I S C X L L Z S S H H G B U R N I S H

A A C O I B O Q H B Y R E U Q C A L B G

S C K T E O L U M I N O U S P O V R R L

H Z T Z F L I C K E R K M T S E V Q Q I

V E Y W V A L X P B Z O C B Y H Q N V N

R L F M S C I N T I L L A T E B E A M T

TWINKLE, TWINKLE

- BEAM
- BRIGHTEN
- BURNISH
- FLARE
- FLASH
- FLICKER
- FURBISH
- GLANCE
- GLARE
- GLAZE
- GLEAM
- GLIMMER
- GLINT
- GLISTEN
- GLITTER
- GLOSS
- GLOW
- LACQUER
- LUMINOUS
- LUSTROUS
- POLISH
- RADIANCE
- RADIATE
- SCINTILLATE
- SHEEN
- SHIMMER
- SHINE
- SPARKLE
- TWINKLE

V H T E B C A M F E B J D R D D T G G X
H P R L B R Z C A T S Q O E J S V T O Q
G Y X F R U B E B Z K M S X D M M H B H
D A V Y P G A L I O E D M N H A D E B T
E E N X U B X I A O E P A Q Q L Q G O G
W P D B G Y F A N M E I B R C C F E J O
M T E G E U S K O T R A G R E O K K J W
J C A P H I S N O D O Y G J V L W U Z E
D I O N H L A B A N Q U O C F M L L W R
B G X E I S U T I T L T Y E Z I E O D E
Y Q N N U L E M X I I R S E E V C A P V
P R L L P E E J T M K T N T O O E H O N
Y Q U H J R C A O E E Y B L R J R Q R S
H C E A E S A N I C Y G B I E C A Q T H
E B J G E E E P A V C O N S A F Y R I Y
E G A L Y Y S N W K L S B D E N F A A L
T N E D O T A K C U P I E Y K T C O B O
O A U L G O R D K T G M S Z G D A A G C
R J K T J N M R A B T Q A S P O M G P K
T E L M A H P A I M H O R A T I O Q T L

BARD'S BATCH

- ADAM
- ADRIAN
- BANQUO
- BIANCA
- BOYET
- CADE
- CAESAR
- CAPHIS
- CELIA
- CORIN
- DAVY
- DESDE-MONA
- DION
- EGEUS
- FABIAN
- FESTE
- GATESBY
- GOBBO
- GOFFE
- GOWER
- HAMLET
- HENRY
- HORATIO
- JULIET
- LEAR
- LOVEL
- LUCE
- MACBETH
- MALCOLM
- MELUN
- MOPSA
- PETO
- PHEBE
- PORTIA
- PUCK
- REGAN
- ROMEO
- RUGBY
- SEYTON
- SHYLOCK
- SILVIA
- TIMON
- TITUS

Q A D N I L A C O V U T R E C N O C P K
T Q C O E L R C A S S I S T Z N N S T N
J M I T E M O V I E S K O O B H P Q D I
C X Z E C E G A S S E M A I W Q S P H V
U T M S W S Z K L T Y S E M A P H O R E
U G G Z N L T S A C E L E T V P Q E S N
P S E R I W A D M A G A Z I N E S U O W
U L R F E H M N R E P O R T A E B F O N
B L O R A T E E R M S E R M O N C R Y Y
L Y N I J O L G E U G E N N L D D I B J
I R T S R G N M D L O F S E R S G U O D
C I X A N A O I I F M J T T J G S W F V
A C L I L S Q K A N A T R O C C U E E M
T S J L L I H F R R E B I X I A F M D A
I X E E S Y A Q Y R Y D J S V L R T C I
O T V E P H V A V V A R U P Z V X T H L
N O L I S T B P I R Z M U U C R N B S D
N A D V E R T I S E T T E Z A G A C Z L
V B Q L L E C T U R E R A N I M E S I L
L D G L A T I C E R C C A B L E T G Y R

GET THE WORD

- ADVERTISE
- ASSIST
- BOOKS
- CABLE
- CONCERT
- DIARY
- GAZETTE
- JINGLE
- JOURNAL
- LECTURE
- LETTER
- LIST
- LYRICS
- MAGAZINES
- MAIL
- MEMO
- MESSAGE
- MOVIES
- MUSIC
- NOTES
- NOVELS
- ORAL
- ORATE
- PUBLICATION
- RADIO
- RECITAL
- REPORT
- SEMAPHORE
- SEMINAR
- SERMON
- TELECAST
- TELL
- TRACTS
- VOCAL
- VOICE
- WIRES
- WORDS

D P I Y Z N V Y M T M T D Y P L A N T R

W X E M Q C R A N E C F T U V L O B Q E

Z T Q L B O N A I P C P A N T H E R U A

Y H O R D C A N A R Y L S G R Y O A P C

K N A U H N B E K Z P A N D A A H C C T

M Q A N C K A R K E N I W T P N T T A G

O V A P D A G C O J N A B H T X F O N H

N Q P O M L N V A N L A N T E R N R N O

V I A M S O E S A X X E X T R A C T O G

U R V H K B C C W Y G S B C E C N A T S

E X P A N D T N D C E V A S C N J S C F

S R B A S I N N O D T K L A N A N A B Q

R D F H O M A N A N B R A N D R N D J O

X U P N M C T N A M A N A P L B N K M R

E S N A N R N A C E P F D S L A M I N A

X T U T A Y G A N D E R M D R N H R X N

T P I C O Z N P B M H P N G V N F E H G

Q A T P U T U C U I H A X B F E R V D E

E N D T A N N E R V L C W D Q R V S S I

A H A D V A N C E K A C N A P D G L L W

AN ACT

- ACTION
- ACTOR
- ADVANCE
- ANIMAL
- BANANA
- BANJO
- BANNER
- BRAND
- CANARY
- CANDLE
- CANDY
- CANNING
- CANNOT
- CANT
- COMPANY
- CONTRACT
- CRANE
- DUSTPAN
- EXPAND
- EXTRACT
- GANDER
- GRAND
- HANDLE
- LAND
- LANTERN
- ORANGE
- PANAMA
- PANCAKE
- PANDA
- PANTHER
- PECAN
- PIANO
- PLANT
- REACT
- SEDAN
- STANCE
- TANNER
- TOUCAN

Y H X T H S O T X I E C S J N L A H Q H
R W P X U A I H N W X F Y G M X N K Q G
Z O D O D P S D Q I H N E S O Y L J V C
F L A A L A T T H W R R N V X A R S L L
J S S U N K X H E O N P P I V O T R O B
R H N H Q C C R L N F X S W G X Q O U T
H G R B P F E C H P U R S U E Q N R J H
E X A O Q M Y B E O T L E W A T T A C K
C P C C A M I R X C X R J Y G O A D O F
O F E B P M U F R Y V J M P V Q N L Y G
P O O W S N E Y D U S W W U T U N E S U
T L T I Z C H C O A C O T I O T R E D E
T S U Z V L F X N B R S S B W T P S O I
T C F S A I Z E L U W T T I K B X Z U F
S A M K W M R E L V O H M K E L T S U H
T M C N C B P G S T H P I V A N N B M Z
V P V K K W S J Q Y S C D R I Y U N T J
G E X M L T E G R A B U A C L A S J U V
T R W J U E J I P F S L B X B C V M D G
T O O C S E C A S L E A P W H P P I B Q

JUMP TO IT!

- ATTACK
- BARGE
- BOLT
- BOUND
- BUSTLE
- CLIMB
- DANCE
- DART
- DASH
- HASTEN
- HURRY
- HUSTLE
- JUMP
- LEAP
- PIVOT
- PLUNGE
- POUNCE
- PURSUE
- RACE
- SCAMPER
- SCOOT
- SCURRY
- SPRINT
- SWOOP
- TACKLE
- WHIRL

O X B I D E F O R D R O N B B F U U F K

N K G X K B S F I N S T D O S Z L V B N

E X M O U T H D I C O A A E T Q C B W W

W B H K M N I W P A B T X T X N V B L U

M T G W A K E E C L B F I T N M G G P K

E D R Q R X O D F R H W Z N U X O I A S

X D Q A E V U B I T Q G I M O H T O A R

E A J F D W C X U S D S D G J H U U R P

T R M A R L H O T A V I S T O C K V O M

E T N E I A M H G Y O P T O T N E S L V

R M J C M N F E O Z H H C A K J J F D V

F O V H G A B P L Y M O U T H J U O O D

C O W I V M B K K N F T O R Q U A Y U A

Q R E K O I P S Q H T U O M T R A D R W

S T B C A C G E X M A F N J Z C Y C Y L

T E L N O T I D E R C I T A M A R E R I

O A Y H Z H X R X A O S I D M O U T H S

S K R Z T P M F U K X S U P G E O I C H

R O H V V A P A N E Y E V D G S V E H F

T D X R I S W C B M R N O T R E V I T I

GLORIOUS DEVON

- AXE
- BIDEFORD
- BRIXHAM
- CREDITON
- DART
- DARTMOOR
- DARTMOUTH
- DAWLISH
- EXE
- EXETER
- EXMOOR
- EXMOUTH
- HONITON
- PAIGNTON
- PLYMOUTH
- SALCOMBE
- SIDMOUTH
- TAMAR
- TAVISTOCK
- TAW
- TEIGNMOUTH
- TIVERTON
- TOR
- TORQUAY
- TOTNES

B	O	O	T	E	E	N	M	O	O	R	L	L	A	B	A	X	B	O	D
J	Z	W	O	O	L	L	Y	U	G	E	N	X	S	S	E	C	C	U	S
A	D	D	R	E	S	S	Z	C	E	N	R	O	S	S	E	S	S	A	B
P	H	O	O	D	O	O	K	F	X	C	Q	S	R	S	S	E	C	C	A
C	F	E	K	T	V	B	F	T	Z	O	K	D	H	Z	A	I	O	E	P
O	S	N	Y	Z	B	O	W	Y	C	L	N	O	O	S	S	A	B	D	U
O	K	Z	T	U	C	X	K	M	A	L	P	P	O	R	S	Z	J	N	T
K	P	U	F	F	B	A	L	L	S	E	A	C	N	B	E	E	E	K	T
B	M	F	S	B	J	L	O	I	S	E	L	P	E	J	S	E	B	T	E
O	O	J	M	J	G	W	V	S	E	N	L	W	M	N	W	S	V	B	E
O	V	B	W	Y	O	A	S	I	T	B	E	G	B	E	P	C	A	S	A
K	F	O	O	T	L	E	S	S	T	P	S	N	E	O	Q	L	S	P	T
Y	Y	G	C	H	L	E	Z	G	E	R	S	P	S	Q	L	E	P	E	L
B	X	I	W	R	E	T	U	O	K	P	E	S	Q	A	R	A	E	L	L
O	A	M	E	F	T	M	W	O	B	S	E	Y	B	P	L	P	D	I	L
T	G	E	F	A	A	J	Z	D	J	S	R	T	P	L	E	Z	B	H	L
C	P	O	T	M	F	T	Z	W	S	Z	O	O	E	E	O	J	O	E	V
A	T	T	M	T	V	M	P	I	X	O	F	D	N	A	N	Z	U	U	I
U	O	E	D	Z	T	E	H	L	F	F	N	O	O	L	L	A	B	H	N
O	E	Y	G	M	N	Q	B	L	R	L	S	S	E	R	E	E	P	B	K

DOUBLE VISION

- ABBESS
- ACCESS
- ADDRESS
- APPALLED
- ASSESSOR
- BALLOON
- BALLROOM
- BASSOON
- BOOTEE
- CASSETTE
- COFFEE
- COLLEEN
- COOKBOOK
- FOOTBALL
- FOOTLESS
- GOODWILL
- HOODOO
- LESSEE
- MAMMEE
- OPPRESS
- PASSBOOK
- PEERESS
- PEERLESS
- PEEWEE
- POSSESS
- PUFFBALL
- PUTTEE
- SUCCESS
- TATTOO
- TEEPEE
- TOFFEE
- WOOLLY

```
I N E L J T H E M I R R O R V U X U S C
P S I Y E W S T R A E H T J Z Z L R E W
P N O I H S A F K C R I T I C I L R R E
A G F J D L R O W E H T F O S W E N L O
F U C O U R T C I R C U L A R F M Z X D
O A O Q X N U S C T X R U S C I A M W A
E R C H N N C O Z F E S Z K O C D K Z I
H D P L H I L N A H W B E X M J V Z S L
R I G T T U K P P G I D H F M T E J U Y
O A G I M W N A L R O A N I E P R M B T
W N L N R T R X T T B I E N N E T R E E
V O I Z R G L H Y H I L W A T D I E D L
P S M O O E S H P E T Y S N S I S P I E
T G P T T A I D E T U E E C G T E O T G
N S O T D X T X S I A X H E J O M R O R
E H E P C N E J E M R P K R V R E T R A
P R Z E R R B N T E I R Q O V X N E P P
S H T A E D D B T S E E U J O Y T R H H
N U S E H T I W E P S S R A E U S S N I
D Y A Z X F Q P R H E S G R A T S E H T
```

PAPER TALK

- ADVERTISEMENTS
- BIRTHS
- COLUMNIST
- COMMENTS
- COURT CIRCULAR
- CRITIC
- DAILY EXPRESS
- DAILY TELEGRAPH
- DEATHS
- EDITOR
- FASHION
- FINANCE
- GUARDIAN
- LETTERS
- NEWS
- NEWS OF THE WORLD
- OBITUARIES
- PHOTOGRAPHER
- POLITICS
- REPORTERS
- SPORT
- SUBEDITOR
- THE ARTS
- THE MIRROR
- THE STAR
- THE SUN
- THE TIMES
- TYPESETTER

W	Z	E	T	A	I	C	N	U	N	E	O	C	W	M	U	J	M	S	Y
L	K	W	X	J	Y	D	C	M	X	X	T	D	J	H	M	H	U	U	F
J	R	E	X	U	A	O	I	K	O	K	W	H	J	H	R	G	F	A	F
I	M	C	F	A	M	G	N	G	P	C	O	N	T	R	A	D	I	C	T
O	S	W	V	P	J	N	T	C	S	E	C	O	N	F	E	S	S	G	Q
Z	H	O	L	A	O	R	E	X	V	B	F	M	H	K	M	M	T	Z	C
P	W	A	Z	G	T	V	R	O	U	O	L	D	B	N	W	G	U	M	O
F	I	B	N	A	T	S	P	K	E	T	A	N	O	T	N	I	P	P	M
N	U	Q	E	B	B	C	O	A	O	O	T	O	D	S	U	Y	R	H	M
P	M	P	T	T	H	T	L	O	G	P	U	A	B	A	C	O	P	U	E
V	E	A	J	A	E	P	A	Q	L	Q	R	M	E	Z	N	E	K	O	N
R	I	D	N	S	J	G	T	K	Z	T	A	T	D	O	E	S	I	K	T
H	D	T	T	L	J	D	E	A	N	I	A	Z	U	D	Y	I	Z	H	D
X	P	I	T	O	G	S	D	T	N	L	E	N	U	M	R	H	B	V	E
R	F	I	F	Q	C	M	J	T	U	T	C	L	I	I	K	U	Q	N	C
Y	G	Z	Q	T	I	Z	A	C	I	E	C	A	O	C	Y	W	A	O	L
P	O	V	I	T	H	I	I	C	N	N	L	Q	E	G	E	L	L	A	A
I	I	H	R	O	N	T	E	X	O	C	T	X	F	D	S	W	Q	Y	R
V	H	S	V	W	R	R	U	C	X	E	C	N	U	O	N	N	A	T	E
T	U	I	I	A	J	D	R	E	Q	D	E	N	Y	R	H	Z	Z	O	Q

I DECLARE

- ADMIT
- ALLEGE
- ANNOUNCE
- ARTICULATE
- AVOW
- CHANT
- COMMENT
- COMPLAIN
- CONCLUDE
- CONFESS
- CONTRADICT
- DECLARE
- DENY
- ENUNCIATE
- EXCLAIM
- INTERPOLATE
- INTONATE
- MAINTAIN
- PRONOUNCE
- RECITE
- REPEAT
- TESTIFY

H X N T N A O H N G L A T H A N D Y U A
K M W O T Y A P V F N S L H S E C U B R
U C Z T R P S F E Z T I Q Y H N R J A O
X Y A O N T T G E B K H D V A L Z Q O Y
I C D R O I R H Y P V P Z A V V D X T R
K K N L L A C L R S N B Z J E M Z Z A X
I R E O W M F D L V Z B V U F R S O X D
B J E U T W V T Q U A R T E R S K N I T
G I S D H F I Q O N F K A L O L H N N C
I S U E R W P Y X Y S R G N I T T I F V
O K L B W O D H F T V S Y G T K V F R J
S M T R L O N B D M L Z E C V S N X P Q
F T I M E U K E R B N J H G T D L K M D
D D E O R Q P E P E D E N I A R G S C P
I F L R B P A S I Q J N L U P Y D U W F
X A Q H O C M U L P J D E C I R P P G Z
H J P R H C L I P P E D Q O A S G P J J
Q X C U K M S T O J Y L J O S V I O E L
S I S R P B G G P G Y W Q H M N B R X A
U Y N O M R A H L J S H O T S W T T H P

KEEP CLOSE

- AT HAND
- ATTACK
- CALL
- CROPPED
- FITTING
- GRAINED
- HARMONY
- HELM
- KNIT
- LIPPED
- ORDER
- PRICE
- QUARTERS
- REACH
- READING
- SCORE
- SHAVE
- SHOT
- SUPPORT
- TIME

R N J C M I B L D H H X B A M D G A I B
D L S N W B O C U H B L Y O V B A E C M
I K T T F G L U S N O I T I T E P E R O
A S R S X Y B S C I B O R E A P V J P R
K D E W U M E K V Q J J M T K K M R N W
Z X T I Q N W O R K O U T E U I L U W X
L P C M V A N K E S C C E O F M W T J Q
S J H Z C S W K M N P X J N M U B A R G
D L O R A T W D V K W U O A I M R L O O
S O U H T I J G R J A J H N T T V J E B
Q N F S O C B L G F L O R S U P U O Y L
Y N E L L S U E A D K T T I U N A O Z W
J R N P F P I G L D R R O I F P I D R V
X B G W O R L H M T S L N N A Y N A V X
N K D C R O D F I I F O O O E R J M T P
I H S W E A T H P B R Z B O Z D Z F C A
V Z N F S I T U P S C T Q X A R I W F X
T F I L L S T H G I E W U N L R C D Y W
T G D N U T R I T I O N C A M W F A X T
A X W A S V O Y Y F V E K I B P B B N N

WORKOUT

- AEROBICS
- BIKE
- BUILD
- DANCE
- FIRM
- GYMNASTICS
- JOG
- JUMP
- LIFT
- NUTRITION
- PUSHUPS
- REPETITION
- REST
- ROUTINE
- RUN
- SIT UPS
- STRETCH
- SWEAT
- SWIM
- TONE
- TRIM
- TUMBLE
- WALK
- WEIGHTS
- WORKOUT

P D P C P I L L B O X D A W L K L B E A

D S O M B R E R O P H H W G D O O H K T

I O N I K S R A E B I F I Y T U R B A N

A Y J H W P F J X B G Z G M B V Y B E C

D V X P A F J Q K O J G R I R N A C K R

E B K C P A I Z H W F F R T C L R Q E O

M T E N O R O C G L R I C R D P M X I W

I P E K Y O S I U E K Z H E E M U K W N

J W R E T A O B A R J F Z R R K L F I I

N F Q Y F R A C S D A E H R B X K Q M A

Z E F C R A S H H E L M E T Y X E H P B

E D L Z Y B S U B M G K M N T W W W L O

T O X A G P Z X X K C F X S E R T E E N

P R Q U R P A P Z N W D F H Y O I W Q N

F A H C S A E N Z P X W C E P V X L T E

S H W T Y F I P A C U O F H Z W J U B T

N O S T E T S T V M L X A R Z C O W L Y

V O P A W R S T A C A T S A T T E R I B

I Y O D V I E W D R A O B R A T R O M C

F U H U W C Z B A L A C L A V A S M U O

HAT'S OFF!

- BALACLAVA
- BEARSKIN
- BERET
- BIRETTA
- BOATER
- BONNET
- BOWLER
- BUSBY
- CAP
- CLOCHE
- CORONET
- COWL
- CRASH HELMET
- CROWN
- DERBY
- DIADEM
- FEDORA
- FEZ
- HEAD-SCARF
- HOOD
- KEPI
- MITRE
- MORTARBOARD
- PANAMA
- PILLBOX
- SOMBRERO
- STETSON
- TIARA
- TOP HAT
- TRILBY
- TURBAN
- WIG
- WIMPLE
- YARMULKE

P B P V M M T M W K J J F H D U E N W V

A U G H L O O K I X L A D P W U K E M O

Y D D G Q N I G I G E U D R L U S C H O

M I A R X T P E U L R O A D A A P E P E

B W M E X D T A I R S O D H A W Y N I E

S L L J H Z N T L E P I W N I O K L V X

X M R A M U R A L L A Q P A S S L P G V

F D H C W Q U K H A E Z S Q K B P D M R

X R Z I E M I W F Z R X P E M O C A H E

L M H G D L T P D J K D O J W F N T Y U

T X A R L T H M P S P D E C N A L A B B

P A A B S C A L U H Y W R B D E R K I O

C F E A X Q N V F C A O N O T F Y X U A

T H C T Z B G S U L H Z J H L N P W O R

R I V T M A K N X I O N U Z J I S P G D

Q J N K J P W A C D P W J Q L E A P E G

F V P A P O C B A Z Y J N T I W B B M H

R W V C L T F L L E J A O A E V F A K G

P L H B P K A Q C D Z Z R A E B R A E H

E A M M S Y I H V L A N D O S Z Y T O Y

TAKE OVER

- ACT
- AGE
- ALL
- ARM
- AWE
- BALANCE
- BEAR
- BID
- BLOWN
- BOARD
- CAST
- COME
- DOSE
- DRAFT
- DRAW
- DUE
- EAT
- FLOW
- GROW
- HAND
- HANG
- HAUL
- HEAD
- HEAR
- JOY
- KILL
- LAND
- LAP
- LAY
- LEAF
- LEAP
- LIE
- LOAD
- LOOK
- LORD
- MAN
- MUCH
- PASS
- PLAY

Z N N A X H E E E T R A P E Z E T H Y C
N V J I E A X T A H P O T F I A K C E D
S G F R T N C L O U D S J Z B N V M N N
W M B S S D T V E A V E S L J M E Y G O
R D E B P L O H E V P F E J L E D I P R
P R E M I E W W O I X C E C R C S O W V
C A M W R I E I I R L W E T U X N H M W
K M B Y E A R X O O N G G A E L I T S E
V V A L A N C E T Y P K C O L C I U N N
W Q K S R C G H A A N T E N N A L W P W
P J U D T R C A B L E T O U P E E R F Q
R R O O F V E N T C E X J E E A H S T H
U S E L G N I H S C R I S E T E C T H L
S P Y S R E L T N A Y U Z H L I Q E L B
P G R C A R P E T M O E E M C F V E N C
O F H F V L E L W H C R E I R Y B P K M
U Q N I I C O R T A V T N A N X W L H F
T R S G A F J N P A H G C Z Z G X E Z W
Y O H F T F E S N O K S A B B E L F R Y
R T M G J P S E D I B E D S P R E A D D

ON TOP OF THINGS

- ANTENNA
- ANTLERS
- BEAK
- BEDSPREAD
- BELFRY
- BELL
- CABLE
- CARPET
- CLOCK
- CLOUD
- CREST
- DECK
- DOME
- EAVES
- FACE
- HANDLE
- HELMET
- HORN
- ICING
- LIGHT
- LOFT
- MAST
- PENTHOUSE
- RISE
- ROOF VENT
- SCARF
- SHINGLES
- SIGN
- SPACE
- SPIRE
- SPOUT
- STEEPLE
- STILE
- TABLECLOTH
- TOP HAT
- TOUPEE
- TOWER
- TRAPEZE
- TREE
- VALANCE
- VEIL
- VISOR
- WEATHER-VANE

S B I Z W U Q X B K I N G D I S C A R D
X M P A I R Z Y R O E E O C G K E P W F
R K C A P B C B S Z E X L K A X P M R L
G P I B F G C C S R C G K A M B K Q E U
S G O F I E R O C S E Z D C E J Y V V S
P A P Z Y C Z V N X L Y A I A D D A E H
A E J A P E G P H I I J A K R L A Y A S
D A K Q E I G F S H U F F L E B B Z L G
E C O A X H C C T P T R U M P X A S W W
S P R F T U H T F I X P A T I E N C E I
O I C I O E J R U X U C L U B S M S D H
E L K T B Q X L E R Y S W S N U U D I J
R E V C U B C V O K E H E A R T S R A A
B I D E I Z A A G G O H P U K C I P M C
V I E E W R R G N Z R P T C A R D S O K
R N M K R A T U E A R E A Y J D D V N V
U R P P U H K Q M V S C C O R E B Y D H
L K J T T F T L Z M E T K F W A X A S A
E Y A D T V U J L P Y E A Q W F M Y W N
S R A U B K O V Q H R G P N C P K C O D

BIG DEAL

- ACE
- BLACK
- BRIDGE
- CANASTA
- CARDS
- CLUBS
- CRIBBAGE
- DEAL
- DIAMONDS
- DISCARD
- FLUSH
- GAME
- HAND
- HEAP
- HEARTS
- JACK
- JOKER
- KING
- LAY
- PACK
- PAIR
- PATIENCE
- PICK UP
- PICTURE
- PILE
- PLAYERS
- POKER
- QUEEN
- RED
- REVEAL
- RULES
- RUMMY
- SCORE
- SHUFFLE
- SPADES
- SUIT
- TAKE
- TRICK
- TRUMP

M E T E R S P P N C H E I G H T E Q D E
X U T K D Y D R O C E C U P S H I I T V
R F I R H I B U S H E L O U N C E A J K
N Q A W Y E G U A G F M L H M A R D Q E
B Y C C S Y S T E M T E E F L K V Z R N
Q F A O E K D S R L K B L L G S R A I O
U A R Z E N E G R A L I I P M K U A J C
A A A G H L T A A F S G L O M Q R Q N I
D O T Y E E U A O C D T N O S G U Y G L
Q S S N T C C C R Y R T G T Y I N A D G
F S T O N E S T E E H E C E R Q C N R F
A Q J F W B S S O L J K A E G I U O M T
T P U L H S T T F G O R S T R O H I J K
H E H L E E I O T N R M F O P U C W U Y
O C Z L Q L O N K A B A L E N R B K K Y
M K I U L T I K E E W L M D O C I W P I
D M A C O D E T Q Z L O R N D C B A R T
A L T N I P W U R M O E L G E T C S N H
Y M A E R X J B V E D D J I M E W N O G
S X M S T E A S P O O N S Z K U P I L A

RIGHT SIZE

- ACRE
- BAR
- BUSHEL
- CARATS
- CENTARE
- CODE
- CORD
- CUPS
- DAYS
- DRAM
- DOZEN
- EQUAL
- FATHOM
- FEET
- FOOT
- GAUGE
- GILL
- GRAIN
- HECTOGRAM
- HEIGHT
- HUNDRED
- KILO
- KILOWATT
- LARGE
- LITRE
- METER
- MICRON
- MILES
- MOLECULE
- MONTH
- OUNCE
- PACE
- PECK
- PINT
- POUND
- QUAD
- QUART
- QUIRE
- REAM
- ROLL
- SQUARE
- STONE
- SYSTEM
- TEASPOONS
- TEST
- WEEK
- YARDS
- YEAR

E F Y J O L R Z P X G T H G I A R T S Z
M P H I R E B M I T U O P M S E L Z V M
B E A K L A H C S U D W A Z Q A Q E V P
A N K B E J Q B A J D R Q L U L M G Y E
T E T I H W K X F Z W B A G G R Y H O T
T C R F S W Q V E N S V H N I R Q C J B
L O D N K K R U T P F E I A O M T X H K
E A J T Y E M Q Y O I H H T Y A B F Y D
Y S H Y T P A M U E S S S T E I V F E N
P T I A F C G L I I G B U K O N Z T L I
K R W R O A I O F Y K A A R J L T N B G
E H O U U O N Q O F Z R M M O O C A G H
S N N P E L O L E M B J T M D H S Y F T
T T Z H E H T I N S I D E B I E C G Y H
Y L A G S R N F J R X X W E R R L V G A
Q U S R X I T E Y D E C L N W J C S W R
Q G X F T X N Y F T D A E H I E T S S D
V Q P I R I U I A H C Q N T K G Q J K T
U Y P N E R N T F E T A V I R P L V Y I
S D R E W X S G G N I N R O M Y T R A P

ALL IN LINE

- BASE
- BATTLE
- BRAKE
- CHALK
- CHORUS
- CLOTHES
- COAST
- COUNTY
- DOTTED
- FINE
- FINISH
- FISHING
- FOUL
- FRONT
- GOAL
- HAIR
- HARD
- HEAD
- HOT
- LAUGH
- LIFE
- MAGINOT
- MAIN
- MORNING
- NIGHT
- PARTY
- PRIVATE
- PROPERTY
- SAFETY
- SCRIMMAGE
- SIDE
- SKY
- STARTING
- STATE
- STORY
- STRAIGHT
- TIMBER
- WATER
- WHITE

S Y K L X K C O N V I V I A L I T Y P Z
W U I B W B R G L O R Y P Y D E F A M E
M F Z A N Y C A B C C H A R M N B R X E
T A C T Y X A W L K E S U M A T Q A O N
M S Z F R Q L J D F I Z A K V H C N Z T
S M I L E U M G U G L W I N N U T I F R
E N P E K L C E L A T I O N O S H M F A
X B A B T Z G E J E I R K P H I R A E N
U F S E R E N E R J E A P B A A I T S C
L U M I V F R S J O Y P B A R S L E T E
T N Y M D A F W G H H T R I M M L D I A
A C K R P M R W O O A Q Y T O L F A V M
N G O T T S I P D E N O T O N L N C E F
T L U M P T E T E X R Y L P Y H W H N O
L R E I I N N Z E V O O A S X J A J B R
E W R V L C D E L B R V Q G L O R O P T
T I H W E G S O A H I E Z M I V M C O U
T S U I S R H F N G U E V K L I T O Z I
E C E L M L A L A G S M J Y T A H S Z T
I M O J G O Z K P T V D A L G L A E F Y

JEST RIGHT

- AMUSE
- ANIMATED
- CALM
- CHARM
- COMIC
- CONVIVIALITY
- DROLL
- ELAN
- ELATION
- ENTHUSIASM
- ENTRANCE
- EXULTANT
- FAME
- FESTIVE
- FORTUITY
- FRIENDS
- FUN
- GALA
- GAY
- GLAD
- GLEE
- GLORY
- HARMONY
- HOPE
- HUM
- JEST
- JOCOSE
- JOVIAL
- JOY
- LARK
- LIFT
- LILT
- MIRTH
- RAPT
- RAPTURE
- REVEL
- SERENE
- SMILE
- SPIRIT
- THRILL
- TONED
- TOPS
- TRUCE
- VERVE
- VIM
- WARMTH
- WHIM
- WIT
- ZANY
- ZEST

Q Z J F Z A R G G Y T L H G E V R E V D

X C U D E I Y X H A R D W O R K K J N R

T V M N A N O I T I B M A T Q I L F N E

M C F W L H F T I R I P S O L N T O M A

M H X U E P Z O P I N I O N P A I C I M

I E N N O F P L A N S S X T R T O O A K

M T N I E S T U D Y G A M E A E T G N T

W M S T S R J O X F W E W C D S G O T J

T E N Q H G V R N V R O U S U E W R B W

I E N I R U E E I I P D P G L H C V U E

M K V O A C S S F D E A B A O V A J B I

E G D I O R I I B P R C R W E Z U V Y C

P I I S T O T W A K Z O G V X W S U O A

H O P E N A Q S T S M L I E W O E F R Y

H A L F L V I S E E M T B U Y A Q W D F

F V O B F E A T M N O I N C E N T I V E

C Z M B W E A E I M S O T R A E H C M I

N R A E D C H R X N W E P U R P O S E B

E W C I G C A Y N B I Y Z T O I L R V C

W A Y Y S Y C O U R A G E F A X G X M I

GET AHEAD

- AMBITION
- CAUSE
- COURAGE
- DIPLOMACY
- DREAM
- EDUCATION
- ENTHUSIASM
- FIRE
- GOAL
- GRIT
- GUSTO
- HARD WORK
- HEART
- HOPE
- IDEAS
- INCENTIVE
- INITIATIVE
- KNOW HOW
- LEARN
- MORALE
- MOTIVE
- NERVE
- OPINION
- PLANS
- POISE
- POWER
- PURPOSE
- SCHEME
- SENSE
- SPARK
- SPIRIT
- STUDY
- TACT
- TIME
- TOIL
- TRAIN
- URGE
- VERVE
- VISION
- ZEAL

WILDLIFE

Solutions

Page 3

```
_ _ _ _ _ _ _ _ _ _ _ _ _ _ _ _ C _ _ _
_ _ _ _ _ _ _ _ _ _ _ Z _ _ _ _ H _ _ _
I _ _ _ S L E E T S _ _ E _ _ _ A _ _ _
_ C _ _ _ _ _ _ T _ _ D F R _ _ P _ _ _
_ _ I _ I _ _ F _ _ _ R T _ O _ P _ _ _
_ _ _ C _ C I _ _ _ I A _ S _ _ I _ _ _
_ _ _ _ L R E _ C G G Z _ _ O _ N _ _ _
_ _ B _ D E _ H I _ U Z _ _ W R G _ _ _
_ _ L _ _ _ I D _ _ S I _ _ _ I F _ _ _
_ _ U _ _ L _ N _ _ T L _ _ _ _ N _ _ _
_ _ S _ L _ _ E _ _ _ B _ _ _ _ R D _ _
_ F T Y _ _ _ Z _ _ _ _ _ _ _ E _ _ Y _
_ L E _ R _ _ O _ _ _ _ _ _ D _ _ _ E _
C U R _ E _ C R _ _ _ _ _ D _ _ G _ Z _
I R Y F V _ H F _ _ _ _ U _ _ _ L _ E _
T R _ L I _ I _ _ _ _ H _ _ _ _ O _ E _
C I _ A H _ L _ _ _ S _ _ _ _ S V _ R _
R E _ K S _ L _ _ _ _ _ _ _ _ N E _ F _
A S _ E _ _ S _ _ _ _ _ _ _ _ O S _ _ _
_ _ _ S _ _ _ _ _ _ _ _ _ _ _ W _ _ _ _
```

Page 5

```
A _ _ _ _ G _ _ _ _ _ _ _ _ _ _ S _ _ _
N _ _ K _ _ N _ _ _ _ _ _ _ _ H _ _ _ _
U _ _ C _ _ _ I _ _ _ _ _ _ R _ _ _ _ P
T _ _ U _ _ _ _ R _ _ _ _ I _ _ _ _ _ I
_ _ _ D _ T _ _ A R _ _ M _ Q U A I L K
_ _ _ _ _ _ U _ B _ E P _ _ _ _ _ R _ E
E _ _ _ _ _ _ B B _ _ H _ _ _ _ E _ _ _
S _ _ _ G _ _ _ I _ _ _ _ _ _ T _ _ F _
U _ _ _ O _ _ _ T L _ _ _ _ S _ M _ L _
O _ _ _ O _ _ _ _ _ A _ _ B _ _ A _ O _
R Y _ _ S _ _ _ _ _ C H O _ _ T C _ U _
G _ E _ E _ _ _ _ _ H L _ _ _ N K N N _
_ _ _ K _ _ _ _ _ _ I _ _ _ _ A E O D _
_ C _ _ R _ _ _ _ _ C _ _ _ _ S R M E _
_ A C _ _ U _ _ _ _ K _ _ _ _ A E L R _
_ T _ A _ _ T _ _ _ E _ _ _ T E L A _ K
_ F _ _ V _ _ _ _ _ N _ _ R _ H _ S _ A
_ I _ _ _ I _ _ _ _ _ _ O _ _ P _ _ _ E
_ S _ _ _ _ A _ _ _ _ U _ _ _ _ _ _ _ T
_ H _ _ _ _ _ R _ _ T _ _ _ _ _ _ _ _ S
```

Page 7

```
_ _ _ G _ _ _ _ _ _ _ _ _ W N Y _ _ _ _
_ _ _ N _ _ _ _ _ _ _ _ _ O A R _ _ _ _
_ N _ I _ _ D _ _ _ _ T _ H P O _ _ F _
_ R _ S _ _ _ E _ _ E _ _ S _ T _ P R S
S A B G A M E _ V A _ _ _ I _ S L _ I U
C E E _ _ _ _ _ C E _ _ N _ _ A E _ E P
H L H S _ _ _ H M _ L S L _ Y L _ C N P
O C A E _ _ E O _ _ T O I _ Z _ _ L D O
O H V L _ R T P _ R _ _ P Z _ _ _ A _ R
L I E U _ I A C U _ _ _ U P _ _ _ Y _ T
_ L _ R V I R C _ _ _ P P _ U _ _ _ _ _
P D _ A N A T E X E R C I S E P E _ _ S
U R T T Y _ _ _ _ Y _ _ _ _ _ R P _ _ A
O E _ O _ _ _ _ T C H A L K U _ _ E _ F
R N N M _ E _ I _ _ _ _ _ T _ _ _ L T E
G S O _ X _ V _ _ _ _ _ C _ N _ A _ M T
_ O _ C _ I _ _ _ _ _ I _ I _ U _ U T Y
R _ I _ T P A S T E P _ A _ G _ S O _ _
_ T _ C _ _ _ D R A W R _ H _ I Y _ _ _
E _ A _ _ _ _ _ _ _ T _ _ _ C S _ _ _ _
```

Page 9

```
R _ _ _ _ O _ _ _ _ _ _ _ _ _ _ _ _ _ N
E _ _ _ _ R A Z U R E _ _ _ _ _ _ _ _ O
D _ _ _ _ A _ _ _ _ _ _ _ N _ _ _ _ _ O
N _ _ _ _ N _ P U R P L E A _ _ _ _ _ R
E _ _ B _ G _ _ _ _ _ _ _ T _ _ D _ _ A
V _ _ _ R E _ _ _ _ _ _ _ _ _ E _ _ A M
A _ _ _ _ O P _ _ _ _ _ _ _ R R B _ U _
L _ _ _ _ _ W E _ _ _ _ G _ B E E _ Q _
S _ _ _ _ _ _ N A _ _ O _ _ L V I _ A _
C T _ Y _ _ _ _ _ C L _ _ _ U L G _ _ _
A U _ D _ _ _ _ _ D H _ _ _ E I E _ _ _
R R _ N _ _ _ _ W _ _ _ _ _ _ S _ E _ _
L Q P U _ _ _ _ _ O _ _ _ _ _ _ T _ _ _
E U I G Y _ _ _ _ _ L _ _ _ G I _ _ _ _
T O N R V _ _ _ _ _ _ L _ _ H R _ _ _ _
_ I K U A _ _ _ _ _ _ _ E W _ _ E _ _ _
_ S _ B N _ U _ _ _ _ _ _ Y _ _ _ E _ _
_ E _ _ _ R B L A C K _ _ _ _ _ _ _ N _
_ _ _ _ C _ _ _ _ _ _ _ _ _ _ _ _ _ _ _
_ _ _ E _ _ _ _ _ _ _ _ _ _ _ _ _ _ _ _
```

Page 11

```
B U L B S _ _ R _ C A N D L E _ _ _ _ _
_ L _ _ _ _ E _ L _ _ _ _ S _ _ _ _ _ _
_ L N _ _ L _ _ A _ _ _ T _ _ _ _ _ _ _
_ I _ R I _ _ _ O _ _ O _ _ _ _ _ _ _ _
_ R _ O E _ _ _ C _ V _ _ _ _ _ _ _ _ _
_ G R _ F T _ _ _ E I _ _ _ _ _ _ _ _ _
_ B _ _ I _ N _ _ R R H E A T L A M P S
_ _ _ _ R _ _ A E _ O A H _ _ _ _ _ _ E
_ _ _ _ E _ _ T L _ N _ C T B _ _ _ _ H
_ _ _ _ _ _ L _ _ _ _ _ _ I A U _ _ H C
C H I M N E Y _ _ _ R _ _ _ D B R C _ T
_ _ _ _ M _ _ _ _ _ _ E _ _ _ _ R N A A
_ _ _ S _ R O A S T _ _ P _ _ O _ V _ M
_ S _ _ _ _ _ _ _ _ T _ _ P T W A _ O _
_ _ C _ _ _ _ _ _ H E _ _ E E L A V _ _
_ _ _ A _ _ _ _ E _ _ Z M _ _ P E T _ _
_ _ _ _ L _ _ S _ _ _ A A _ _ N _ _ E _
_ _ _ _ _ D U _ _ _ L _ _ L _ _ _ _ _ R
_ _ _ _ _ N _ _ _ F _ _ _ _ B _ _ _ _ _
_ _ _ _ _ _ _ _ _ _ _ _ _ _ _ _ _ _ _ _
```

Page 13

```
_ _ _ _ _ _ L _ _ _ R _ _ _ _ _ F _ _ _
_ _ _ _ _ _ E _ E _ E B _ _ _ _ E _ _ _
_ _ _ _ F _ W _ D _ H I S _ _ _ S S T _
T _ _ R L _ E _ G _ T J E B _ _ T P A _
N _ O E _ E J _ I _ A O Q _ O _ O A T _
E G T _ L _ S _ N _ E U U _ _ W O N T _
M S _ O _ F _ N G _ F _ I _ _ T N G I _
A D C _ C L F _ I G _ _ N _ _ U _ L N _
N I _ A A I R U N T _ _ _ Y _ F B E G _
R A _ C L I P I R E _ _ R _ _ T U _ _ _
O R E _ B L K _ C _ _ E _ _ F T T _ _ _
P B _ B _ C O N _ _ D _ _ _ R A T _ _ _
L _ O _ O _ U P R I _ _ _ _ I S O _ _ F
U N _ M _ O _ I O T _ _ _ E L S N _ G R
M _ S _ L _ C R O B E A D H L E _ E E O
E _ _ F _ K B B _ _ _ _ _ C _ L M _ G U
_ _ _ _ R M A _ _ _ _ _ _ A _ _ _ T N F
_ _ _ A E J _ _ _ _ _ _ _ N _ _ R _ I R
D E C O R A T I O N _ _ _ A _ I _ _ R O
_ K _ _ _ _ _ _ _ _ _ _ _ P M _ _ _ F U
```

Page 15

```
_ _ _ _ _ _ _ _ _ _ _ E _ _ T A L K _ P
_ E _ _ E _ B _ _ _ _ L _ _ B O O M _ I
_ _ M N _ Y O _ _ _ _ B _ S T A T E _ S
_ _ I I _ E S _ _ Y _ M S P E A K _ O S
_ H _ _ T V _ _ _ E _ U _ _ _ _ E B _ O
W _ _ S I N G D _ L _ M S _ _ S S E E G
_ _ _ _ _ O _ E R L _ T _ K O E N _ L _
S S _ _ _ C _ L E _ U _ A L R O _ _ B _
T A _ _ _ _ _ I T T _ Y C V R _ _ K B _
A Y _ R _ _ _ V T _ _ S E D _ _ A _ A _
M _ _ _ E B _ E U _ I _ K _ _ O _ _ B _
M _ _ _ A P R R C D _ _ R C R _ _ _ _ V
E _ _ R B _ S O _ _ _ _ A C H _ _ _ _ O
R _ K L _ _ M I B _ _ _ M E _ A _ _ _ I
_ _ U _ _ M A A H _ L _ E P L _ T _ _ C
_ R _ _ E S G T _ W _ _ R _ S T _ T _ E
T _ _ N S _ U _ A M U T T E R I T _ E _
_ _ T E _ O _ R _ _ _ _ _ _ _ _ L A _ R
_ _ R _ H _ D _ _ _ _ _ _ _ _ _ _ _ R _
_ T _ S _ _ _ _ E X P R E S S _ _ _ _ P
```

Page 17

```
V _ _ _ _ _ _ _ P _ _ _ _ _ _ _ _ _ _ _
_ I _ _ _ _ _ _ A _ _ _ _ _ _ _ _ _ _ _
_ _ S _ _ _ _ _ C _ _ _ _ _ _ _ _ _ S B
S _ _ A _ _ _ _ K _ _ _ _ _ _ _ D I N O
I _ _ _ S _ _ _ _ _ _ _ _ _ _ I X _ O N
G _ _ P _ _ _ _ _ _ _ _ _ _ C A _ _ I V
H _ A _ _ P A S S P O R T T T _ _ _ T O
T M _ _ _ _ _ _ _ _ _ _ I _ S R _ _ A Y
S _ _ F L I G H T _ _ O _ H _ _ A _ V A
E _ _ T _ _ _ _ _ _ N _ O _ _ _ _ V R G
E _ E _ N _ _ _ _ A _ P _ _ _ _ _ _ E E
_ _ S E E A _ _ R _ _ _ _ E _ _ S _ S L
_ _ I T _ D R Y _ _ P _ _ G _ _ M _ E F
_ M U A _ _ I U _ _ L _ _ A L _ O _ R O
_ U R L _ _ _ U A _ A _ _ G E _ T _ _ R
_ E C U _ _ _ _ G T N _ _ G T _ S _ _ E
_ S _ S _ _ _ _ _ _ S _ _ U O _ U _ _ I
_ U _ N _ _ _ _ _ _ _ E _ L H _ C _ _ G
_ M _ O _ _ _ _ _ _ _ _ R _ _ _ _ _ _ N
_ _ _ C _ _ _ _ _ T O U R _ _ _ _ _ _ _
```

Page 19

```
_ _ _ E H O N I T O N _ R _ E _ _ _ _ _
_ _ _ G _ _ _ H A M L E T V _ _ _ _ _ _
_ _ _ A C _ _ _ _ _ V C O _ _ _ _ _ _ C
_ _ _ L _ R _ _ _ I O C _ _ E _ _ R _ I
E H I L L S E _ R A _ L _ _ X _ E _ R N
_ X _ I _ _ _ D S _ _ I _ _ M S _ E _ E
_ _ E V _ _ _ T I S _ F _ _ O S E _ N C
_ _ _ T _ _ _ E H T _ F _ R O B E O _ S
_ _ _ _ E _ _ A X _ O S T _ R _ V V _ _
_ _ _ A T R L _ _ E _ N _ _ _ E H _ A _
_ _ E _ R D _ _ _ _ _ _ P D D P S W _ C
S S _ _ O _ _ _ _ C _ _ L N _ A I A _ _
_ H _ N P _ T O R Q U A Y A _ I L T _ T
_ _ O _ _ _ _ E B _ _ _ M S _ G W _ Q A
_ V _ R _ _ A R S _ T _ O _ _ N A _ U M
_ I P _ E M I E H _ O _ U _ _ T D _ A A
_ E I _ _ X N O _ _ R _ T _ _ O _ L Y R
_ W E _ H T T _ _ _ B _ H _ _ N _ _ Y _
_ S R A O E _ _ _ D A R T M O U T H _ N
_ _ M T L _ _ _ _ _ Y _ _ _ _ _ _ _ _ _
```

Page 21

```
_ _ _ _ _ _ _ _ D _ _ _ _ _ _ R _ _ _ _
H _ _ _ S E E I T R E _ _ P E E K _ _ _
C _ _ _ _ _ S _ E E C _ _ _ E D _ _ _ T
T E _ _ _ C G E L F N _ _ _ R N _ _ H _
A L _ _ E A R _ E L A T _ V U A _ G _ _
W G _ R P A _ _ S E L N _ I T G I G _ _
_ O N E L _ _ _ C C G I _ S C S _ L _ _
_ _ S G P _ K _ O T _ U _ I I _ O I _ _
_ P _ E S _ W _ P I _ Q _ O P B _ M _ _
Y _ E T _ V A _ E O _ S P N S _ _ P _ _
_ P U _ _ I G _ _ N _ E _ E G _ _ S V _
_ D _ O P E N I N G R _ R L _ S _ E I E
Y _ _ _ _ W S _ _ I _ V A _ P Y T _ S Z
_ _ E _ _ C _ _ S D E S _ E _ E C D U A
E R G _ A _ _ C L _ S N C _ _ V E R A G
R O N N _ _ O O _ F _ T I _ _ R P A L _
A R A _ _ P H _ O E A _ _ M E U S G I _
T R R _ E E _ C _ T Y _ _ E A S N E Z _
S I _ _ B _ U _ O _ _ E P _ _ X I R E _
_ M _ _ _ S _ R _ _ _ _ _ _ _ _ E _ _ _
```

Page 23

```
_ _ M O N O L O G U E _ _ F _ _ _ _ _ _
_ _ _ _ _ _ S A R D O N I C U D R O L L
_ A B S U R D _ _ _ _ C _ _ _ N _ _ _ _
B _ _ T R A V E S T Y _ H _ _ R N _ _ _
R A M U S I N G _ K L E _ U E _ _ Y Y _
O C O M E D Y F C O H _ B K C K _ R _ S
A S _ _ _ T A O O O _ _ C I C K O _ P _
D U _ _ T R M F W C _ I P O G T L I _ _
E O _ U C _ I L H E N U T _ S _ U E _ _
L U B E _ R S O L S N S _ _ _ Q O _ _ _
I R _ _ O _ R G _ S G _ _ J _ B N S _ _
M G _ N _ T G _ W N _ _ _ O _ U E P _ _
S N Y _ L I _ A I _ _ _ _ K _ F L O H _
_ O _ E G J F H P _ _ S W E _ F I O T _
_ C T _ E F G U E _ _ I B _ _ O N F R N
_ N I S U U T R _ W T T _ E _ O E L I I
_ I T G A O I _ A T _ C _ _ L N R I M R
_ E T L N T _ G Y _ _ O _ _ _ L S O _ G
R _ E _ A _ S J A P E M _ _ _ _ O F _ _
_ _ R S C O M I C _ R O A R S _ _ W _ _
```

Page 25

```
_ _ _ F T _ T _ _ _ _ _ P _ R E L A Y S
_ _ _ E I _ _ N _ _ _ _ _ M _ _ _ _ _ T
_ _ E _ _ N T _ I _ _ _ _ _ U _ _ _ _ R
_ M _ _ _ R I _ _ O _ G _ _ H J J _ T I
_ L _ _ A _ L S _ _ P R U E _ _ U _ O D
_ _ A T _ A _ _ H _ O _ A N _ L D _ E E
_ _ S P I _ _ T K H _ T M _ A _ G K B K
_ _ _ R _ _ N _ C _ _ _ E I _ _ E R O L
_ _ T _ _ I _ N A _ _ P C _ L S C A A A
_ _ _ _ R _ A _ R _ A I _ _ H E I M R W
_ _ _ P _ _ _ _ T T F _ _ O _ _ R _ D _
D H S _ _ _ _ _ _ F _ _ T _ _ _ C _ _ R
I _ S _ _ _ H _ O _ _ P _ L T D L _ _ E
S _ _ A W _ H U _ _ U _ _ A E N E _ _ M
C _ _ O D _ _ A R T _ _ _ N A I _ _ _ I
U _ R B A T O N M D _ _ _ E M W _ _ _ T
S H _ _ _ G _ _ _ M L _ _ _ R A C E _ _
T _ _ _ _ E _ _ _ _ E E R U N N E R _ _
_ J A V E L I N _ _ _ R _ _ _ _ _ _ _ _
_ _ _ _ _ _ _ _ _ P O L E V A U L T _ _
```

Page 27

```
E _ E M B E L L I S H _ _ _ _ _ H _ _ _
N _ _ _ _ _ _ L R E W R I T E E C _ _ M
L E P D E C O R A T E _ _ R C L I _ _ E
A S R M _ _ _ _ _ E _ _ A N A _ R _ _ N
R A E _ A _ _ _ _ _ H L A R _ _ N _ _ D
G E F _ _ V N _ _ _ L H I _ _ _ E C _ _
E R O _ _ O _ _ _ Y N F _ P R O M O T E
G C R _ D E _ _ _ E Y _ _ _ _ E _ R _ _
N N M D S T R E N G T H E N R _ _ R _ _
A I A A _ A _ E _ _ _ _ _ U _ _ _ E _ R
H Y _ L _ V P _ _ _ _ _ T _ E P _ C _ E
C F O T _ I E D I F Y R T L E E _ T E N
_ I R E R T _ _ _ I U S E R V _ _ U S O
_ T G R _ L _ _ M N U V F O _ _ E P I V
_ U A _ _ U _ P _ J A E L _ _ _ R L A A
_ A N _ _ C R _ D T C V _ _ _ _ O I R T
_ E I _ _ O C A E T E _ _ _ _ _ T F _ E
_ B Z _ V _ _ U _ I _ _ _ _ _ _ S T _ _
_ _ E E _ _ _ _ R D E D U C A T E _ _ _
_ _ _ _ R E F I N E _ _ _ _ _ _ R _ _ _
```

Page 29

```
R _ _ _ _ _ N _ _ N B U L W A R K _ _ _
_ E _ _ _ _ S O _ _ E _ _ _ _ _ _ _ A _
G S F _ _ _ H _ I _ _ E _ _ _ _ L _ G _
N A _ U _ _ I _ S H S _ R T S I _ _ E _
I F T _ G _ E _ L _ S E _ C R K _ _ N C
L E _ E _ E L N L H _ U D A S O C _ T O
I _ _ _ _ _ D E A _ A _ C I S _ C E _ V
A _ _ S _ _ S S W _ _ V _ _ H _ _ S D E
R _ _ A T _ F T _ _ _ W E _ E _ _ C E R
W _ _ N O _ F _ _ _ _ A _ N L _ C O I A
A N _ C W _ U A _ D _ T S _ T _ I N N L
R I _ T E _ C L _ E S C E R E _ T V S A
R K S U R _ _ L _ F D H C O R _ A O U R
A S T A _ _ _ E _ E R M U C S _ D Y R M
N _ O R _ _ _ R _ N A A R K N _ E _ A _
T _ O Y _ _ _ B _ D U N I S O T L _ N _
Y _ B _ _ _ _ M _ _ G _ T P P _ R _ C N
_ _ _ _ _ _ _ U _ _ _ _ Y A A _ _ O E E
_ _ _ C L O T H I N G _ _ D E _ _ _ P T
_ _ _ _ _ _ _ _ _ _ _ _ _ S W _ _ _ _ S
```

Page 31

```
_ M _ _ N I G H T M A R E _ _ _ _ _ _ _
_ _ E _ _ _ _ _ _ _ _ _ _ _ _ N E V O M
F _ _ A _ _ _ _ _ _ _ _ _ _ G E T _ _ _
_ A _ _ N _ _ _ _ _ _ _ _ N P E _ _ F _
E _ N _ R U O L O C _ I P R _ _ _ _ U _
K _ S T _ _ _ _ _ _ L A P _ _ _ _ _ N _
A _ L _ A _ _ _ _ E H R S _ _ _ _ _ N _
W _ E _ _ S _ _ E _ E _ T _ _ _ _ _ Y _
A _ E C _ _ Y F _ T _ _ N _ _ _ _ _ _ _
_ _ P T N _ _ _ N _ _ _ E S S W E E T _
_ _ Y _ A E R I _ _ _ _ V A _ _ _ _ _ _
_ _ R D _ E U E _ _ _ _ E M _ _ _ _ _ _
_ _ A R _ R P L D _ _ _ _ E _ _ _ _ _ _
_ _ C E _ E _ E F N _ _ _ _ _ _ _ _ _ S
_ _ S A _ B _ _ R N O _ E M A N S _ _ T
_ _ _ M _ M _ _ _ _ I W _ _ _ _ E _ _ R
_ _ _ _ _ E _ _ _ _ _ _ _ _ _ _ C _ _ A
_ _ _ _ _ M _ _ _ _ _ _ _ _ _ _ A _ _ N
_ _ _ _ _ E _ _ E L P O E P _ _ L _ _ G
_ _ _ _ _ R _ _ _ _ _ _ _ _ _ _ P _ _ E
```

Page 33

```
_ P R A N C E _ _ _ _ _ _ _ B _ _ _ _ P
_ _ _ _ _ T _ _ E _ _ S _ O _ D _ _ I _
_ _ _ _ R K _ _ C _ _ P B _ C _ N K _ _
_ _ _ A S C _ _ N E C R _ _ A _ S U _ _
_ _ T I _ L _ _ U L R I _ _ R _ E _ O _
_ S R _ _ E _ _ O O I N _ _ A _ L _ _ B
T F _ _ _ A _ _ B I C G _ S C B O _ _ _
R _ _ _ _ R _ _ _ R K _ _ A O O I _ _ _
A L _ _ R A C E _ B E _ _ L L L R _ _ _
M O _ _ _ T _ _ _ A T R _ T E T P _ _ _
P B H O P R _ B _ C _ E D A _ _ A _ _ E
O M T _ T O P A _ _ _ P I T _ _ C _ L _
L A L P L V A L _ _ _ P D I _ _ B D O G
I G O M U A E L _ _ _ O O O _ U R _ O O
N _ V O A C L E _ _ _ H _ N C U _ _ R R
E _ I R V _ _ T _ _ I S _ K H _ _ _ A F
J U M P _ _ _ _ _ G _ S C A P E R _ G P
_ _ E _ _ _ _ _ H _ _ A _ _ _ _ _ _ N A
_ _ D _ _ C U R V E T R _ _ _ _ _ _ A E
_ P O U N C E _ _ _ _ G _ A N T I C K L
```

Page 35

```
_ _ _ _ T A B O O _ _ _ _ _ _ _ _ _ _ _
C A N C E L _ _ _ _ _ _ _ _ _ _ _ E R _
_ _ _ _ _ _ _ D L O H H T I W _ D _ A P
_ R O S N E C _ E _ _ _ _ _ _ U _ _ B R
B _ _ _ _ _ _ _ _ X _ _ _ _ L _ _ _ E E
_ L _ _ _ R _ _ _ F C _ _ C _ _ T _ D V
_ _ O _ R _ E _ _ O _ L E _ _ _ C _ _ E
_ _ _ C _ E _ D _ R _ R U _ _ _ U L _ N
_ P _ _ K E S _ N B P _ D D _ C R A _ T
_ R _ _ N _ _ T I I _ _ E D E H T G _ L
_ O _ J _ _ _ N R D H _ N I _ E S E I A
_ H O _ _ _ T _ _ A _ _ I S _ C B L N H
_ I _ _ _ E _ _ _ _ I R E A D K O L H _
N B _ _ R _ B A R _ E N D L E _ U I I _
_ I _ D _ _ _ R _ S E D _ L P _ T _ B _
_ T I _ _ _ E _ T S E _ _ O R _ L _ I _
_ C _ _ _ F _ R O N N _ _ W I _ A _ T _
T _ _ _ U _ I P Y _ A _ _ _ V _ W _ _ _
_ _ _ S _ C P _ _ _ B _ _ _ E _ _ _ _ _
_ _ E _ T O _ _ E M B A R G O _ _ _ _ _
```

Page 37

```
D _ _ _ _ B _ _ _ _ D I N E R _ _ B _ _
_ I _ _ _ A _ U _ _ _ _ _ N _ _ _ I _ _
_ _ S _ _ N _ N _ _ _ _ _ E O _ _ T _ _
_ W _ H _ Q _ E _ _ _ _ L _ _ I _ E _ _
_ _ O _ _ U _ M _ _ G B _ P S _ T _ _ T
_ D _ H _ E _ _ _ R A D _ I _ S _ R A _
_ O _ _ C T _ _ U T I _ _ C _ _ E E O _
_ O F E A S T B _ N _ _ _ N _ C _ M _ P
_ F _ _ _ _ _ _ N T _ _ _ I _ _ A _ _ _
_ P L A T E _ E S T _ _ _ C _ _ _ F _ _
E N T R E E R A E _ _ N _ _ _ O _ _ E _
_ _ _ _ T _ P I _ _ O C _ _ T M R _ _ _
_ _ _ S _ E D E T I A N _ _ R O _ D _ _
_ _ A _ R _ S U T N I _ K M E R _ _ E _
_ T _ _ _ R O A A B _ C E _ A S H _ _ R
_ _ _ _ U K R P B _ A A _ _ T E C _ H _
_ _ _ O O _ E L _ N L _ _ _ _ L N _ C _
_ _ C O _ _ E _ S B E A N _ _ _ U _ N _
_ _ C _ _ S U P P E R _ _ _ _ _ R _ U _
_ _ B U F F E T _ _ _ _ _ _ _ _ B _ L _
```

Page 39

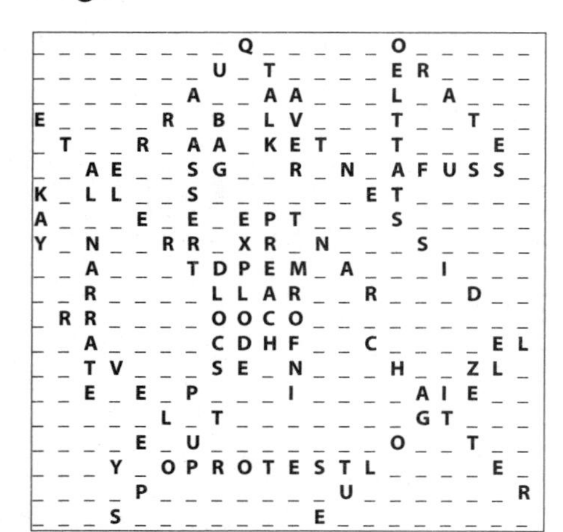

```
_ _ _ _ _ _ _ _ Q _ _ _ _ _ O _ _ _ _ _
_ _ _ _ _ _ _ U _ T _ _ _ _ E R _ _ _ _
_ _ _ _ _ _ A _ _ A A _ _ _ L _ A _ _ _
E _ _ _ _ R _ B _ L V _ _ _ T _ _ T _ _
_ T _ _ R _ A A _ K E T _ _ T _ _ _ E _
_ _ A E _ _ S G _ _ R _ N _ A F U S S _
K _ L L _ _ S _ _ _ _ _ _ E T _ _ _ _ _
A _ _ _ E _ E _ E P T _ _ _ S _ _ _ _ _
Y _ N _ _ R R _ X R _ N _ _ _ S _ _ _ _
_ _ A _ _ _ T D P E M _ A _ _ _ I _ _ _
_ _ R _ _ _ _ L L A R _ _ R _ _ _ D _ _
_ R R _ _ _ _ O O C O _ _ _ _ _ _ _ _ _
_ _ A _ _ _ _ C D H F _ _ C _ _ _ _ E L
_ _ T V _ _ _ S E _ N _ _ _ H _ _ Z L _
_ _ E _ E _ P _ _ _ I _ _ _ _ A I E _ _
_ _ _ _ _ L _ T _ _ _ _ _ _ _ G T _ _ _
_ _ _ _ E _ U _ _ _ _ _ _ _ O _ _ T _ _
_ _ _ Y _ O P R O T E S T L _ _ _ _ E _
_ _ _ _ P _ _ _ _ _ _ _ U _ _ _ _ _ _ R
_ _ _ S _ _ _ _ _ _ _ E _ _ _ _ _ _ _ _
```

Page 41

```
E _ _ G R A P H I C _ _ _ _ _ _ _ _ _ _
L _ _ _ _ _ _ _ _ _ C H A P T E R _ _ _
T _ _ B _ _ _ T _ _ _ _ _ I S S U E _ N
I _ _ E _ _ X T H R I L L E R _ _ _ W E
T _ _ S _ E _ _ _ _ T S _ _ _ _ _ R S P
_ L _ T T _ R _ _ S E C _ _ _ P I K E _
_ I _ S _ _ _ E A N R _ _ _ A T _ C G _
_ N _ E _ _ _ F T I E _ _ P E _ _ A A G
_ E E L T A L E M I R T E R _ _ F B P N
_ S V L _ _ N E _ E R R T _ _ I _ R _ I
_ _ O E _ C _ _ V _ W W M I C _ _ E _ T
_ _ L R E K H O _ O _ Y E T R _ _ P _ S
L N _ S _ O C A R _ S _ I P _ W N A _ E
I O O _ I O _ D R T _ O A _ Y H R P _ R
A I _ V D B S _ E A N _ _ U S T A _ _ E
T T _ _ E _ F R _ _ C _ _ I T _ Y _ _ T
E I _ _ A L Y A _ _ _ T L _ _ H _ _ _ N
D D _ _ _ _ _ _ C _ _ B E _ _ _ O _ _ I
_ E _ _ S T O R Y T U _ _ R _ _ _ R _ _
_ _ _ _ _ _ _ _ _ P _ _ _ _ S _ _ _ _ _
```

Page 43

```
_ _ _ _ F _ _ _ _ _ S S D B _ _ _ _ _ _
P U L V E R I Z E _ R M U E S _ S _ S _
_ S _ C _ _ A _ E A _ R A P S E _ R _ _
C E D _ R _ _ C E X S S I S V T E _ W _
U D _ E S U _ T T T P L E A H V R R _ W
T I _ _ T D M M J U C L T V E E E O _ R
S V _ _ _ A N B I U R S O S A C S _ Y E
_ I _ H _ _ C E L N M E T D K H _ _ _ S
_ D S _ _ _ _ H R E C B I _ E _ S _ _ T
_ A _ _ _ _ _ _ _ _ _ E L R G R A T E S
B _ _ _ _ F L A K E S _ P E E _ _ _ _ _
_ _ _ _ S R _ S _ _ _ _ S _ S N _ S _ _
_ G R _ E E _ _ P _ _ _ C C _ S T H _ C
_ R U _ Z V _ _ _ A _ _ R R E _ P A _ H
_ I I E A I _ _ _ _ N U _ C U A _ T _ O
_ N N C R L _ _ _ S N S I _ R S _ T _ P
_ D S R _ S _ _ E C _ D _ T _ _ H E T S
_ S _ E _ _ _ V H _ _ _ _ _ _ _ _ R R _
_ _ _ I _ _ I _ D E M O L I S H _ S I _
_ _ _ P _ R _ _ _ _ _ _ _ _ _ _ _ _ M _
```

Page 45

```
_ N _ _ _ _ _ _ H _ E D A V I D _ L _ G
E A _ M _ _ _ A _ L _ _ _ _ _ _ E L _ O
S H _ O _ D R _ I B _ B _ _ _ I E H _ L
A T I S _ A E J _ O _ O _ _ N B _ A _ I
U A S E S _ A L _ J _ C _ A E _ E I _ A
L N A S _ H _ _ I _ _ A D Z _ _ V M _ T
E O I R _ _ _ _ _ L _ J E _ _ _ E E _ H
B J A U _ _ L N _ _ A J _ _ _ _ _ R _ E
A _ H T _ E N M O _ _ H _ _ _ _ _ E A S
_ _ _ H U O A _ _ A _ _ _ N _ _ _ J A T
C _ _ M S I _ _ _ _ H _ _ _ A _ _ _ R H
_ A A M R _ R E B E K A H _ _ H _ _ O E
_ S A I _ _ S O L O M O N N H _ T _ N R
_ S M S G T A B R A H A M I P E _ A _ _
_ N _ J I _ O _ _ _ _ _ _ M E _ N _ N _
_ I J O D M _ L _ _ _ _ _ A S _ _ O _ _
_ A O S E A L _ _ _ _ _ _ J O _ _ _ C _
_ C N H O D U _ _ _ _ _ _ N J _ _ _ _ H
_ _ A U N A A _ _ _ _ _ _ E _ _ _ _ _ _
_ _ H A _ _ S _ _ _ _ _ _ B _ _ _ _ _ _
```

Page 47

```
_ _ _ _ _ L _ _ _ _ _ _ _ D T _ D _ _ _
H _ _ _ E _ E _ _ _ _ _ _ E L R _ _ _ _
_ T _ _ _ G _ R _ _ _ _ L _ A E _ _ _ _
_ _ R _ _ _ D _ R _ _ T _ K _ _ I _ _ _
_ _ _ A _ _ _ I F A N _ N _ _ _ _ H _ S
A _ _ _ E L _ R R U B A K N I G H T S E
_ R _ _ A H I _ A B T _ _ _ M _ _ _ S K
_ _ R N _ A _ G _ _ W S _ Y O _ _ _ G A
_ _ C O R _ J _ _ _ P A R _ N _ _ _ N T
_ E _ _ W _ O _ _ E S L R _ K _ _ _ I S
_ _ _ _ _ S U _ A J A T _ D S J _ K K _
Q _ _ T _ _ S R R V E _ R E _ A _ N D S
U T _ R _ _ T _ I E _ S C A T V _ A U T
E O _ A _ _ _ H C T V N T L C E T V N E
E R _ P _ _ C O U S O I U E _ L R E G E
N C M M _ _ R R T C _ P U _ R I U S E D
_ H O A _ O R E S O A _ _ Q _ N O _ O _
_ _ A R N E I _ X T _ _ _ _ _ _ C _ N _
_ _ T E T N _ E A V I S O R _ _ _ _ _ _
_ _ T _ _ _ N C C A S T L E _ _ _ _ _ _
```

Page 49

```
_ _ _ _ _ _ _ _ _ B _ A C O I R A C _ _
_ _ S A M B A _ A _ _ H B O L E R O _ _
J _ _ _ M _ _ L _ N O B _ _ _ _ _ D M _
I T _ _ _ U L _ O P A _ _ R _ _ _ I A M
T _ E _ _ E S T _ L _ _ _ _ E _ _ P Z A
T D _ U T A S I L _ _ _ _ F _ E _ _ U M
E A _ _ N E H R C A K L O P O _ L _ R B
R N _ _ L I O C A A _ _ _ _ _ X _ _ K O
B C _ R _ O M _ A G L _ T A E B T _ A L
U E A _ M _ _ _ _ H N U _ _ _ _ _ R R _
G H S H A K E _ _ _ C O H _ _ _ _ I O _
C _ T _ S Q U A R E _ _ C _ _ _ W _ _ T
_ A _ S _ _ Z M A R A T H O N T _ R _ _
P _ _ H _ _ _ T _ _ S _ _ W _ _ T H T _
_ _ _ I _ _ _ _ L I _ _ _ _ A A _ U _ _
_ _ B M _ _ _ _ W A _ _ _ _ N L R M _ _
_ _ R M _ _ _ T _ _ W _ _ G _ T K B _ _
_ _ E Y _ _ _ _ _ J I G O _ S _ _ A _ _
_ T A R A N T E L L A _ _ _ _ _ _ _ _ _
_ _ K _ _ _ H U S T L E _ _ _ _ _ _ _ _
```

Page 51

```
S T A I D _ _ _ _ _ _ _ _ _ _ _ _ _ _ P
_ _ E L T N E G _ _ _ _ _ _ _ _ _ _ A _
_ _ E T A R E P M E T _ _ _ _ _ _ T _ _
_ _ _ _ _ _ _ _ _ _ _ _ _ _ _ _ I M _ _
_ _ _ _ _ _ _ _ _ _ _ _ _ _ _ E I _ _ _
_ _ _ _ _ _ _ _ _ _ _ _ _ _ N L _ _ _ E
_ _ T O L E R A N T _ _ _ T D _ _ _ _ N
_ E L B A B R U T R E P M I K E E M _ D
_ _ _ _ _ E _ _ _ _ _ _ _ _ _ _ _ _ _ U
_ _ _ _ _ C L _ _ _ G N I O G Y S A E R
_ _ _ _ _ _ O B C I H P O S O L I H P I
_ _ _ _ _ _ _ N A _ _ _ _ C A L M _ _ N
_ _ _ _ _ _ _ T T T _ P _ L _ _ _ _ _ G
_ _ _ _ _ _ _ _ A E I _ E _ A _ _ _ _ _
_ _ _ _ _ _ _ _ _ M N C _ A _ C _ _ _ _
_ D E S O P M O C _ E T X _ C Q I _ _ _
_ _ _ _ _ _ _ _ _ _ _ _ _ E U E _ O _ _
_ D E T C E L L O C _ _ _ I N _ F _ T _
_ _ _ _ _ S O B E R _ _ E _ _ I _ U _ S
_ _ _ _ _ _ _ _ _ _ _ T C O O L _ _ L _
```

Page 53

```
_ _ E T A U T C N U P I M A G I N E _ E
N O N F I C T I O N _ _ _ _ P _ _ _ U I
_ _ _ _ _ _ _ _ N O I T O M E L _ G _ N
_ _ _ _ _ _ _ _ _ _ _ _ _ _ _ _ O _ _ T
_ _ _ _ _ _ _ _ _ _ _ _ _ _ _ L _ T _ R
_ _ _ _ _ _ R _ _ H P A R G A R A P _ I
_ _ _ _ _ _ _ E _ _ _ _ _ I _ _ _ _ _ G
_ _ _ _ _ _ _ C F _ _ _ D _ _ _ _ _ _ U
_ _ _ M _ _ H _ _ E _ I D E A _ _ _ _ E
_ _ _ _ Y A _ _ _ _ R N O I T C A _ _ _
_ _ _ _ P S _ _ _ _ W E S A R H P _ _ _
_ _ _ T _ _ T _ F _ O _ N _ _ _ _ _ _ _
_ _ E _ _ _ _ E _ _ R _ _ C R _ _ _ _ _
_ R _ _ _ _ E _ R _ D _ _ E E G _ _ _ _
_ _ _ _ _ L _ _ _ Y _ _ S _ R W _ _ _ _
_ _ _ _ I _ _ _ _ _ _ E _ A _ _ O _ _ _
_ _ _ N _ _ _ _ _ _ A _ M _ _ _ _ L _ _
_ _ G _ _ _ _ _ _ R _ M _ _ _ _ _ _ F _
_ _ S T Y L E _ C _ A Y R O T S _ _ _ _
R E T C A R A H C R _ _ E T I R W _ _ _
```

Page 55

```
_ _ Y L L A S _ _ H _ _ _ _ E _ _ _ _ _
_ F L O R E N C E _ E _ _ _ _ E R O S E
_ _ N O E L L E _ N N L O R A C N _ _ _
_ _ R U B Y E _ E _ I O E _ _ _ _ E _ _
_ _ _ _ _ _ _ H R R _ H R N L E A H R N
_ T S _ Y D U J C E O O P E A _ _ _ _ E
_ _ E I _ _ _ N _ A H D P E E N _ _ _ L
_ _ _ I R _ E _ O _ R T _ A S N O _ _ L
Y _ L _ R I _ L _ S Y _ S _ L O _ M L _
_ C Y D _ R _ _ A _ I A _ E W _ J I _ _
_ _ N _ I _ A _ _ I _ L M _ _ A A _ _ _
_ _ N A _ A T H _ _ N _ L _ _ G N C _ _
C _ _ _ N E N A L I C E _ A _ _ A D _ _
_ O _ P N A E A A N N A _ _ _ T _ _ A _
_ _ N A E E S C _ _ _ _ _ _ H _ _ _ _ _
_ _ J N _ A M U I _ _ _ _ E _ _ _ E _ _
_ _ _ _ I _ R R S N _ _ R P H Y L L I S
_ _ _ _ _ E _ L A _ R I _ _ _ S _ _ _ _
_ _ Y L L O D _ _ C N E _ _ A _ _ _ _ _
_ _ _ _ N O R A _ E _ _ B _ Y L I L _ _
```

Page 57

```
_ _ T _ _ _ M Y E L S R A P T _ _ _ _ _
_ _ H _ P Y _ O _ _ _ _ _ _ A _ _ _ _ _
_ C Y _ _ O R _ M H S I D A R E S R O H
_ O M _ S P P A G A R L I C R C H I L I
_ R E _ _ R E P M _ D _ _ T A _ _ _ _ A
A I _ _ _ C E P Y E _ R L _ G _ _ _ N _
L A _ _ _ A _ P P _ S A A _ O _ _ I _ _
L N _ _ B R _ _ A E S O _ C N _ S _ _ _
S D M _ C A _ _ _ C R _ R _ _ E _ _ _ _
P E U _ L W Y _ _ R L _ T U R M E R I C
I R S _ O A _ _ E I _ _ _ _ _ _ _ _ _ S
C _ T _ V Y _ G V A R R O W R O O T A _
E _ A B E _ N R N O M A N N I C _ G P _
_ _ R A S I E _ _ O T _ _ _ _ _ E _ A _
_ _ D S G H _ _ _ R _ N S E V I H C P _
_ _ _ I C L E N N E F _ E E _ C U R R Y
_ _ _ L O N I O N G _ _ _ I C _ _ _ I _
_ M A R J O R A M A _ _ _ _ M A _ _ K _
N U T M E G _ _ _ N _ _ _ _ _ I M _ A _
_ _ _ _ _ L L I D O _ C U M I N P _ _ _
```

Page 59

```
N O I T C E F F A _ M A N M _ _ D _ _ _
V _ _ _ _ _ _ _ F E M A L E A E _ _ _ _
A _ _ _ T R A E H T E E W S E L _ _ _ _
L _ _ _ Y N A P M O C _ _ N _ _ E K _ _
E _ _ D C T _ _ _ _ _ O K I S S _ I _ _
N D _ E O O _ _ _ _ _ _ O _ _ _ _ N _ _
T A _ S U G C C H A R M _ W _ _ _ D _ T
I R _ I R E _ U _ B E A U T I F U L C _
N L A R T T _ _ P _ _ _ _ _ _ _ _ A _ _
E I D E _ H _ _ _ I _ _ _ _ E _ R R _ C
_ N O L _ E Y _ _ _ D _ _ L _ T O _ A _
_ G R _ U R _ E _ _ P _ D _ T M _ P _ _
H E E _ H F _ _ N E _ D _ A A _ T Y _ _
A N _ L U _ R _ T O U _ _ N _ I O _ _ _
N C _ O G _ W E _ C H _ C _ V J _ _ _ _
D H _ V _ O T O D _ _ E C A R B M E _ _
S A _ E M _ E R _ N _ _ T _ _ _ _ _ _ _
O N _ A _ M _ _ U _ O E _ _ _ _ D E A R
M T N _ O _ _ _ _ S _ W _ A F F A I R _
E _ _ R _ _ W A R M T H _ _ C A R E S S
```

Page 61

```
L _ _ _ C _ _ _ _ _ _ D O E S _ _ _ _ A
M I C _ E O _ _ _ _ _ _ C _ _ _ _ _ _ P
_ O C A _ L W _ _ _ _ N _ _ _ _ _ E _ E
B _ L E T D T E _ _ E _ _ _ _ _ L _ _ X
_ I _ E N T E T R H _ _ E B C B _ _ _ _
_ _ R _ C C Y L A _ _ I E A M R _ _ _ _
_ _ _ D _ U E _ W R K A _ A N _ O _ _ _
R _ _ _ I L L _ _ O R S R _ _ T _ W _ _
_ E _ _ K E _ E O D F P _ _ _ _ I _ N B
_ _ T C _ _ _ R S _ _ I _ _ _ _ _ C _ U
_ _ U T _ Y B B A R C C _ _ _ B _ W S L
_ B _ _ A _ F E E B _ _ _ _ _ R _ O _ L
_ _ _ _ E B _ D O G W O O D _ E _ R _ Y
_ _ _ L _ B A D G E R E D _ _ W F M _ _
_ _ G _ _ B _ _ S C R A M _ _ E E W _ _
_ U _ _ O _ _ _ C O C K N E Y D E O _ _
B _ _ A _ J A Y W A L K _ _ _ _ L O _ _
_ _ R _ _ _ L U F H T O L S _ _ _ D _ _
_ D P I G M E N T _ _ _ _ S H A D O W _
_ _ _ W R E N C H _ _ _ _ T O R T X O F
```

Page 63

```
_ _ _ _ _ _ _ _ _ _ _ _ _ _ R _ _ _ _ _
_ _ _ _ _ _ _ _ _ _ _ _ _ _ E _ _ _ _ _
_ S W E E T H E A R T _ _ _ T _ _ M _ _
_ _ _ _ A F F A B L E _ _ _ S P _ U L _
M _ _ R _ R _ _ _ _ _ _ _ _ I A _ H A _
_ R _ _ E _ Y _ _ _ _ _ _ _ S L R C Y C
_ _ A H _ H _ N _ R E E P _ _ O _ S O _
_ _ T W _ D T _ O _ _ _ _ _ O _ H N L _
_ A _ _ F N B O _ M _ _ _ M _ A F A _ _
F _ _ A _ E _ O M _ R _ M _ R I M _ E _
_ _ R P C I L _ S _ _ A _ E D I _ R _ _
_ _ A D O R E L _ O T _ H A T _ E _ _ T
_ _ I N M F U _ O E M _ N Y L R E _ N _
Y _ L A P B G _ _ W _ T R A F R T U _ _
N _ I R A R A _ _ _ _ E I N E _ A _ _ _
O _ M G N O E _ _ _ L D O N _ _ M _ _ _
R _ A _ I T L _ _ A R C T _ _ _ P _ _ _
C _ F _ O H L _ T O _ R _ _ _ _ I _ _ _
_ _ _ _ N E O E C _ A _ _ _ _ _ H _ _ _
_ _ _ _ _ R C _ _ P _ B E S T _ S _ _ _
```

Page 65

```
_ _ _ _ _ _ _ Y C N A F _ _ T O L P R _
_ _ _ _ _ _ _ _ _ _ _ M _ _ _ _ _ E _ _
_ _ E D I C E D _ _ U _ _ _ _ _ F _ _ _
_ _ _ R E A S O N S P _ _ _ _ N F _ _ _
E S O P P U S _ E _ O _ _ _ O I _ _ _ _
_ D _ _ _ _ _ _ _ _ N R _ C N _ _ L _ _
_ E I _ R E D N O W D _ E D _ _ _ E _ _
_ X _ G _ _ _ _ _ _ E _ R C R E C A L L
_ A _ _ E _ _ _ _ _ R E _ _ K _ _ R _ _
_ M _ _ M S _ _ _ D V _ F _ _ O _ N _ _
_ I _ _ I _ T _ R I _ _ _ O _ _ N _ _ A
_ N E _ N _ _ E E _ _ _ S _ C _ _ _ _ N
_ E T N D _ A W _ _ M _ U _ _ U _ _ _ A
_ _ _ H I M _ _ D E _ T R _ _ _ S _ _ L
_ _ _ _ I G _ _ E R C _ M Y D U T S _ Y
_ H E E D N A D _ E A _ I _ E G D U J Z
P L A N _ _ K M L _ _ G S _ R _ _ _ _ E
_ _ _ _ _ _ _ F I N O T E _ I _ _ _ _ _
_ _ _ _ _ _ E _ _ _ _ _ _ R V _ _ _ _ _
_ _ _ _ _ R _ D O O R B _ _ E _ _ _ _ _
```

Page 67

```
_ M E R R Y _ _ _ _ R _ _ E L K C U H C
C _ _ J H G U A L A Y C A T S C E _ _ _
O _ O G _ _ _ _ D _ _ _ _ _ B E N D E R
M K T L _ _ _ I _ _ E L G G I G _ _ _ _
E _ H A _ _ A Y O J N E _ _ E E R P S _
D _ R D _ N A M U S E _ H T R I M _ _ _
Y E I _ C W H I R L _ _ _ T R E A T _ C
_ N L E C _ _ K N A R P _ _ _ E E L G E
_ T L _ A D _ R A P T U R E _ _ _ _ _ L
_ E _ _ P _ E J _ S Y T I R A L I H _ E
_ R _ _ E _ O L P _ _ T S A E F _ _ _ B
_ T _ _ R L _ O I _ Y _ _ _ F _ _ _ _ R
S A _ _ L _ R _ _ G _ A _ T R O V A C A
E I F Y _ T _ _ _ _ H _ L _ O _ _ _ _ T
N N L O _ _ _ _ _ _ _ T _ P L _ _ _ _ E
C _ _ L O _ R E E H C _ _ _ I C _ _ _ _
H B _ _ Y L P _ _ F _ _ _ _ C U _ _ _ _
A E _ _ _ _ _ I U _ _ _ _ _ _ T _ _ _ _
N A _ _ N U T N U _ E V O L _ U _ _ _ _
T M _ W I T _ _ _ Q _ T S E J P _ _ _ _
```

Page 69

```
E L K N I W T _ G _ _ _ N _ _ _ _ _ _ _
R A D I A N C E _ L _ _ _ E G _ _ _ _ _
_ _ _ _ _ _ _ _ _ _ A _ L L T _ G L O W
_ R E M M I H S _ _ _ N A U _ H _ _ _ _
E R A L F _ M A E L G R C _ S _ G _ _ _
E T A I D A R _ _ _ E _ _ E _ T _ I _ _
_ _ _ E _ _ _ R E M M I L G _ _ R _ R _
S _ _ _ Z _ _ G L I S T E N _ _ _ O _ B
H S _ _ _ A _ _ _ _ G L O S S E _ F U _
E H _ _ _ _ L _ _ _ _ _ _ _ L _ U _ _ S
E I _ _ _ _ _ G P _ _ _ _ K _ R _ _ _ _
N N _ _ _ _ _ _ O _ _ _ R _ B _ _ _ _ _
_ E _ _ _ _ _ _ L _ _ A _ I _ _ _ _ _ _
F _ _ _ _ _ G _ I _ P _ S _ _ _ _ _ _ _
L _ _ _ _ L _ _ S S _ H _ B U R N I S H
A _ _ _ I _ _ _ H _ _ R E U Q C A L _ G
S _ _ T _ _ L U M I N O U S _ _ _ _ _ L
H _ T _ F L I C K E R _ _ _ _ _ _ _ _ I
_ E _ _ _ _ _ _ _ _ _ _ _ _ _ _ _ _ _ N
R _ _ _ S C I N T I L L A T E B E A M T
```

Page 71

```
_ H T E B C A M F _ _ _ _ R D _ _ _ G _
_ _ _ _ _ R _ C A _ _ _ O E _ _ _ _ O _
_ _ _ _ _ U _ E B _ _ M S _ _ M _ _ B _
D A V Y _ G _ L I _ E D _ N _ A _ _ B _
_ _ _ _ _ B _ I A O E P A _ _ L _ _ O G
_ _ _ _ _ Y _ A N M E I _ _ _ C _ _ _ O
_ _ E G E U S _ O T R _ _ _ _ O _ _ J W
_ C A P H I S N O D _ _ _ _ _ L _ U _ E
D I O N H _ A B A N Q U O _ F M L L _ R
_ _ _ E _ S U T I T _ T _ E _ I E _ _ _
_ _ N N U L E M _ _ I _ S _ E V C _ P _
_ R _ L P _ _ _ T M _ T _ T O O _ _ O _
Y _ U H _ R C A O E E Y B L R _ _ _ R S
_ C E _ E S A N I _ Y _ B I E C _ _ T H
E B _ G _ E E _ _ V _ O N S A F _ _ I Y
E _ A L _ Y S _ _ _ L _ B D E N F _ A L
_ N E _ _ T A K C U P I E _ _ T C O _ O
_ A _ _ _ O R D _ _ _ _ S _ _ _ A A G C
R _ _ _ _ N _ _ A _ _ _ A S P O M G _ K
T E L M A H _ _ _ M H O R A T I O _ _ _
```

Page 73

```
_ _ _ N _ L A C O V _ T R E C N O C _ _
_ _ _ O _ _ _ _ A S S I S T _ _ _ _ _ _
_ _ _ T _ M O V I E S K O O B _ _ _ _ _
_ _ _ E _ E G A S S E M _ _ _ _ _ _ _ _
_ _ _ S _ _ _ _ _ _ _ S E M A P H O R E
_ _ _ _ _ L T S A C E L E T _ _ _ _ _ _
P S E R I W A _ M A G A Z I N E S _ _ W
U _ _ _ _ _ _ N R E P O R T _ E _ _ O _
B L O R A T E E R M S E R M O N C R _ _
L Y _ _ _ O L _ E U _ _ _ _ L _ D I _ _
I R _ _ R G _ M D _ O _ S E _ S _ _ O _
C I _ A N _ O _ I _ _ J T T _ _ _ _ _ V
A C L I L S _ _ A _ _ T _ O C C _ _ _ M
T S J L L _ _ _ R _ E _ I _ I A _ _ _ A
I _ E E _ _ _ _ Y R _ D _ S _ _ R _ _ I
O T V _ _ _ _ _ _ _ A _ U _ _ _ _ T _ L
N O L I S T _ _ _ R _ M _ _ _ _ _ _ _ _
N A D V E R T I S E T T E Z A G _ _ _ _
_ _ _ _ L E C T U R E R A N I M E S _ _
_ _ _ L A T I C E R _ C A B L E _ _ _ _
```

Page 75

```
_ _ _ _ _ _ _ _ _ _ _ _ _ _ P L A N T R
_ _ E _ _ C R A N E _ _ _ _ _ _ _ _ _ E
_ T _ L _ O N A I P _ P A N T H E R _ A
Y H O _ D C A N A R Y _ _ G _ _ _ A _ C
_ N A U _ N _ _ _ _ P A N D A _ _ C C T
_ _ A N C _ A _ _ _ _ I _ _ _ _ _ T A _
_ _ _ P D A _ C O J N A B _ _ _ _ O N _
_ _ _ _ M L N _ _ N L A N T E R N R N _
_ _ _ _ _ O E _ A _ _ E X T R A C T O _
_ _ _ _ _ _ C C _ Y _ S _ _ E C N A T S
E X P A N D T _ D C E _ _ _ _ _ _ _ _ _
_ _ _ _ _ I _ N O D _ _ _ A N A N A B _
_ D _ _ O _ A N A _ B R A N D _ _ D _ O
_ U _ N _ C T N A M A N A P _ B N _ _ R
_ S _ _ _ R N A C E P _ _ _ L A M I N A
_ T _ _ A _ G A N D E R _ D R N _ _ _ N
_ P _ C _ _ N _ _ _ _ _ N G _ N _ _ _ G
_ A T _ _ T _ _ _ _ _ A _ _ _ E _ _ _ E
_ N _ T A N N E R _ L _ _ _ _ R _ _ _ _
_ _ A D V A N C E K A C N A P _ _ _ _ _
```

Page 77

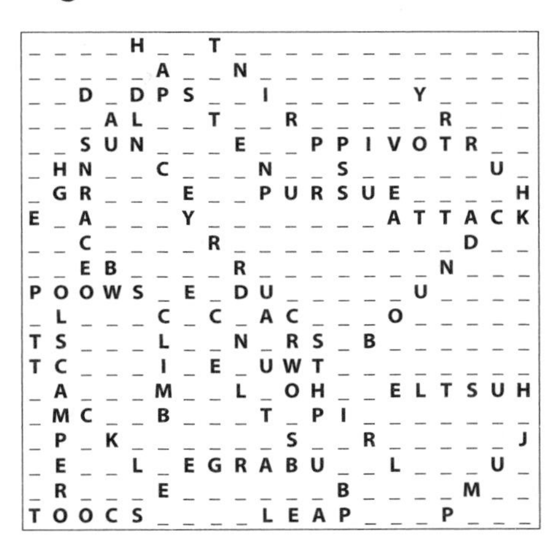

```
_ _ _ _ H _ _ T _ _ _ _ _ _ _ _ _ _ _ _
_ _ _ _ _ A _ _ N _ _ _ _ _ _ _ _ _ _ _
_ _ D _ D P S _ _ I _ _ _ _ _ _ Y _ _ _
_ _ _ A L _ _ T _ _ R _ _ _ _ _ R _ _ _
_ _ S U N _ _ _ E _ _ P P I V O T R _ _
_ H N _ _ C _ _ _ N _ _ S _ _ _ _ _ U _
_ G R _ _ _ E _ _ P U R S U E _ _ _ _ H
E _ A _ _ _ Y _ _ _ _ _ _ _ A T T A C K
_ _ C _ _ _ _ R _ _ _ _ _ _ _ _ _ D _ _
_ _ E B _ _ _ _ R _ _ _ _ _ _ _ N _ _ _
P O O W S _ E _ D U _ _ _ _ _ U _ _ _ _
_ L _ _ _ C _ C _ A C _ _ _ O _ _ _ _ _
T S _ _ _ L _ _ N _ R S _ B _ _ _ _ _ _
T C _ _ _ I _ E _ U W T _ _ _ _ _ _ _ _
_ A _ _ _ M _ _ L _ O H _ _ E L T S U H
_ M C _ _ B _ _ _ T _ P I _ _ _ _ _ _ _
_ P _ K _ _ _ _ _ _ S _ _ R _ _ _ _ _ J
_ E _ _ L _ E G R A B U _ _ L _ _ _ U _
_ R _ _ _ E _ _ _ _ _ _ B _ _ _ _ M _ _
T O O C S _ _ _ _ L E A P _ _ _ P _ _ _
```

Page 79

```
_ _ B I D E F O R D _ _ N _ _ _ _ _ _ _
_ _ _ _ _ _ _ _ _ N _ _ _ O _ _ _ _ _ _
E X M O U T H _ _ _ O _ _ E T _ _ _ _ _
_ _ _ _ _ _ _ _ _ _ _ T _ _ X N _ _ _ _
_ T _ _ _ _ E _ _ _ B _ I _ _ M G _ _ _
E _ R _ _ X _ _ _ R H _ _ N _ _ O I _ _
X D _ A E _ _ _ I T _ _ _ _ O _ _ O A _
E A _ _ D _ _ X U _ _ _ _ _ _ H _ _ R P
T R _ _ _ _ H O T A V I S T O C K _ _ _
E T _ _ _ A M _ _ _ _ _ T O T N E S _ _
R M _ _ M N _ E _ _ _ _ _ _ _ _ _ _ _ _
_ O _ _ G _ B P L Y M O U T H _ _ _ _ D
_ O _ I _ M _ _ _ _ _ T O R Q U A Y _ A
_ R E _ O _ _ _ _ H T U O M T R A D _ W
_ T _ C _ _ _ _ _ _ _ _ _ _ _ _ _ _ _ L
_ _ L N O T I D E R C _ T A M A R _ _ I
_ A _ _ _ _ _ _ _ A _ S I D M O U T H S
S _ R _ T _ _ _ _ _ X _ _ _ _ _ _ _ _ H
_ O _ _ _ A _ _ _ _ _ E _ _ _ _ _ _ _ _
T _ _ _ _ _ W _ _ _ _ N O T R E V I T _
```

Page 81

```
B O O T E E _ M O O R L L A B _ _ _ _ _
_ _ W O O L L Y _ _ E _ _ S S E C C U S
A D D R E S S _ _ E _ R O S S E S S A _
_ H O O D O O _ F _ C _ _ _ S S E C C A
C _ _ _ _ _ _ F _ _ O K _ _ _ _ _ _ _ P
O _ _ _ _ _ O _ _ C L N O O S S A B _ U
O _ _ _ _ C _ _ _ A L _ _ O _ S _ _ _ T
K P U F F B A L L S E _ _ _ B _ E E _ T
B _ _ _ _ _ _ _ _ S E _ _ _ _ S E B _ E
O _ _ _ _ _ _ _ S E N L _ _ _ W S _ B E
O _ _ _ _ _ _ S _ T _ E _ _ E P _ A S A
K F O O T L E S S T _ S _ E O _ L S P T
_ _ _ _ _ L E _ G E _ S P S _ L E P E _
_ _ _ _ R E _ _ O _ _ E S _ A R A E _ _
_ _ _ E F T M _ O _ _ E _ B P L P _ _ _
_ _ E F A A _ _ D _ S _ T P L E _ _ _ _
_ P O T M _ _ _ W S _ O O E E _ _ _ _ _
_ T T M _ _ _ _ I _ O _ D _ _ _ _ _ _ _
_ O E _ _ _ _ _ L F _ N O O L L A B _ _
O E _ _ _ _ _ _ L _ _ S S E R E E P _ _
```

Page 83

```
_ _ _ _ _ T H E M I R R O R _ _ _ _ _ _
_ _ _ _ _ _ S T R A E H T _ _ _ _ _ _ _
_ N O I H S A F _ C R I T I C _ _ _ _ _
_ G _ _ D L R O W E H T F O S W E N _ _
_ U C O U R T C I R C U L A R _ _ _ _ D
_ A _ _ _ _ _ S C _ _ R _ _ C _ A _ _ A
_ R _ _ _ _ C O _ _ E _ _ _ O _ D _ _ I
_ D _ _ _ I L _ _ H _ B _ _ M _ V _ S L
_ I _ _ T U _ _ P _ I D _ F M _ E _ U Y
_ A _ I M _ _ A _ R O A N I E _ R _ B T
_ N L N _ T R _ T T B I E N N E T R E E
_ O I _ R G L H Y H I L W A T D I E D L
P S _ O O E S _ P E T Y S N S I S P I E
T _ P T T _ _ _ E T U E _ C _ T E O T G
_ S O T _ _ _ _ S I A X _ E _ O M R O R
_ H E _ _ _ _ _ E M R P _ _ _ R E T R A
P R _ _ _ _ _ _ T E I R _ _ _ _ N E _ P
S H T A E D _ _ T S E E _ _ _ _ T R _ H
N U S E H T _ _ E _ S S _ _ _ _ S S _ _
_ _ _ _ _ _ _ _ R _ _ S _ R A T S E H T
```

Page 85

Page 87

Page 89

```
_ _ _ _ _ _ _ _ _ _ _ _ _ _ _ _ _ _ _ _
_ _ S _ _ _ _ _ _ _ _ _ _ _ _ _ _ _ _ _
_ _ T _ _ G _ _ _ N O I T I T E P E R _
_ _ R S _ Y _ S C I B O R E A P _ _ _ _
_ _ E W _ M _ _ _ _ _ _ _ T _ _ M _ _ _
_ _ T I _ N W O R K O U T _ U _ _ U _ _
_ _ C M _ A _ _ _ S _ _ E _ _ M _ _ J _
_ _ H _ _ S _ _ _ _ P _ _ N _ _ B _ _ G
_ _ _ R _ T _ _ _ _ W U _ _ I _ _ L O _
_ _ U _ T I _ _ _ _ A _ H _ _ T _ J E _
_ N _ S _ C B _ _ _ L _ _ S _ _ U _ _ _
_ _ E _ _ S U _ _ _ K T _ _ U _ _ O _ _
_ R _ _ _ _ I _ _ _ _ _ O _ _ P _ _ R _
_ _ _ _ _ _ L _ M _ _ _ _ N _ _ _ _ _ _
_ _ _ _ _ _ D _ _ I _ _ _ _ E _ _ _ _ _
_ _ S W E A T _ _ _ R _ _ _ _ D _ F _ _
_ _ _ _ S I T U P S _ T _ _ A _ I _ _ _
T F I L _ S T H G I E W _ N _ R _ _ _ _
_ _ _ N U T R I T I O N C _ M _ _ _ _ _
_ _ _ _ _ _ _ _ _ _ _ E K I B _ _ _ _ _
```

Page 91

_ _ _ _ P I L L B O X _ _ _ _ _ _ _ _ _
D S O M B R E R O _ _ _ W _ D O O H _ _
I _ N I K S R A E B _ _ I _ T U R B A N
A _ _ _ _ P _ _ _ B _ _ G M _ _ Y _ _ C
D _ _ _ A _ _ _ _ O _ _ _ I _ _ A _ _ R
E _ _ C _ _ _ _ _ W _ _ _ T _ _ R _ _ O
M T E N O R O C _ L _ _ _ R D _ M _ _ W
I P E K _ _ _ _ _ E _ _ _ E E _ U _ W N
_ _ R E T A O B _ R _ _ _ _ R _ L _ I _
_ F _ _ F R A C S D A E H _ B _ K _ M _
_ E _ C R A S H H E L M E T Y _ E _ P B
_ D _ _ Y B S U B _ _ _ _ _ T _ _ _ L O
_ O _ A _ P _ _ _ _ _ _ _ _ E R T _ E N
_ R _ _ R _ A _ _ _ _ _ F H _ O I _ _ N
_ A _ _ _ A _ N _ _ _ _ C E P _ _ L _ E
_ _ _ T _ _ I _ A _ _ O _ H Z _ _ _ B T
N O S T E T S T _ M L _ A _ _ C O W L Y
_ _ _ _ _ R _ _ _ C A T _ A T T E R I B
_ _ _ _ _ _ _ E _ D R A O B R A T R O M _
_ _ _ _ _ _ _ _ B A L A C L A V A _ _ _

Page 93

_ _ _ _ _ _ _ _ _ _ _ _ F _ D U E _ _ _
_ _ _ _ L O O K _ _ L A D P _ _ _ _ _ _
_ D D _ _ _ _ _ _ G E U D R L _ _ _ _ _
_ I A _ _ _ P _ _ L R O A D A A _ _ _ E
B _ _ E _ D _ A _ _ S O _ H A W Y _ I _
_ _ _ _ H _ N _ L E _ _ W _ _ O _ L _ _
_ M R A _ _ _ A L L A _ P A S S L _ _ _
_ _ _ _ _ _ _ K H _ _ _ _ _ _ _ _ _ M _
_ _ _ _ E _ I _ _ _ _ _ _ E M O C A _ _
_ _ _ G D L _ _ _ _ _ _ _ _ _ _ N _ _ _
T _ A R L T H M _ _ _ D E C N A L A B B
_ A A _ S _ A _ U _ Y W R _ _ _ _ _ _ O
_ F E A _ _ N _ F C A O _ O _ _ _ _ _ A
T _ C _ _ _ G _ _ L H _ J _ L _ _ _ _ R
_ _ _ _ _ _ _ N _ _ O _ _ _ _ _ _ _ _ D
_ _ _ _ _ _ W A _ _ _ W _ _ L E A P _ _
_ _ _ _ _ O C _ _ _ _ _ _ _ _ _ _ _ _ _
_ _ _ _ L T _ L _ _ _ _ _ _ _ _ _ _ _ _
_ _ _ B _ _ A _ _ _ _ _ R A E B R A E H
_ _ _ _ _ Y _ _ _ L A N D _ _ _ _ _ _ _

Page 95

_ _ _ _ _ H _ _ _ T R A P E Z E T _ _ _
_ _ _ _ _ A _ T A H P O T _ _ A K C E D
_ _ _ _ T N C L O U D _ _ _ B _ _ _ _ N
_ _ _ S S D T V E A V E S L _ _ E _ G _
_ _ E B P L O H E _ _ _ E _ _ E D I _ _
_ R E _ I E W _ O I _ C _ _ R _ S O _ _
C A _ _ R _ E _ _ R L _ _ T _ _ _ _ M _
K M _ _ E _ R _ _ O N _ _ _ E L I T S E
_ V A L A N C E T _ _ K C O L C _ _ _ _
_ _ _ S _ _ _ H _ A N T E N N A _ W _ _
_ _ _ _ T _ C A B L E T O U P E E _ _ _
_ R O O F V E N T _ _ _ _ E _ A H S _ _
_ S E L G N I H S _ R I S E T E _ T _ L
S _ _ S R E L T N A _ U _ H L I _ E L _
P _ _ C A R P E T _ O E E M C F _ E _ _
O _ _ _ V L E L _ H C R E I R _ B P _ _
U _ _ I I C O _ T A V T N A _ _ _ L _ _
T _ S G A F _ N P A _ G C _ _ _ _ E _ _
_ O H F T _ E S N _ _ S _ _ B E L F R Y
R T _ _ _ P _ E _ _ B E D S P R E A D _

Page 97

_ _ _ _ _ _ _ _ _ K I N G D I S C A R D
_ _ P A I R _ _ _ _ _ _ _ _ G _ _ _ _ F
_ K C A P _ _ _ S _ E _ L _ A _ _ _ R L
_ _ _ _ _ _ _ _ _ R _ G K A M _ _ _ E U
S _ _ _ _ E R O C S E _ D C E _ _ _ V S
P _ P _ _ _ _ _ _ _ _ Y _ I A D _ _ E H
A E _ A P _ _ _ _ _ _ _ A _ R L A Y A _
D _ K _ E I _ _ S H U F F L E B B _ L _
E C _ A _ H C _ T _ T R U M P _ _ _ _ _
S P R _ T _ _ T _ I _ P A T I E N C E _
_ I _ I _ _ _ R U _ U C L U B S _ _ D _
_ L K _ B Q _ _ E R _ S _ _ _ _ _ _ I J
_ E _ C U B C _ _ K E H E A R T S _ A A
_ _ D E I _ A A _ _ O _ P U K C I P M C
_ _ E E _ R R G N _ _ P _ C A R D S O K
R N _ _ R _ T U E A _ _ A _ J _ _ _ N _
U _ _ _ _ _ _ _ M _ S C _ O _ _ _ _ D H
L _ _ _ _ _ _ _ _ M E T K _ _ _ _ _ S A
E _ _ _ _ _ _ _ _ _ Y E A _ _ _ _ _ _ N
S _ _ _ _ _ _ _ _ _ R _ _ _ _ _ _ _ _ D

Page 99

```
M E T E R S _ _ _ _ H E I G H T _ _ _ _
_ _ _ _ D _ D R O C _ C U P S _ _ _ _ _
_ _ _ R _ _ B U S H E L O U N C E _ _ _
_ _ A _ _ E G U A G _ _ _ _ M A R D _ E
_ Y C C S Y S T E M T E E F L _ _ _ R N
Q _ A _ E _ _ _ _ _ K _ _ L _ _ _ A I _
U _ R _ E N E G R A L I I _ M _ U A _ _
A _ A _ H L T _ A _ _ G L O _ Q R Q _ _
D _ T _ _ E U A _ C _ _ N O S G U _ _ _
_ _ S _ T _ C C R _ R T _ _ Y I _ A D _
F S T O N E _ T E E H E _ E R _ _ N R _
A _ _ _ _ _ S _ O L _ _ A E _ _ U _ M T
T P _ _ _ S _ T F G O R _ _ R O H I _ _
H E _ _ E E _ O T _ R M _ O P U C _ _ _
O C _ L Q L O N _ A _ A L _ N R _ _ _ _
M K I U _ T I K E E W L M D O _ _ _ P _
D M A C O D E T _ Z _ O R N _ _ B A R _
A L T N I P _ _ R _ O E L _ _ _ C _ _ _
Y M A E R _ _ _ _ E D D _ I _ E _ _ _ _
S _ _ _ T E A S P O O N S _ K _ _ _ _ _
```

Page 101

```
_ _ _ _ _ _ _ _ _ _ G T H G I A R T S _
_ _ _ _ R E B M I T _ O _ _ _ _ L _ _ _
B _ _ K L A H C S _ _ _ A _ _ A _ _ _ _
A _ _ _ _ _ _ _ A _ _ _ _ L U _ _ _ _ _
T E T I H W _ _ F _ _ _ _ G G R Y H O T
T C _ _ S _ _ _ E _ S _ H N I R _ _ _ _
L O _ _ K _ R _ T _ F E I A O M _ _ _ _
E A _ _ Y E M _ Y O _ H H T _ A _ _ _ D
_ S _ _ T _ A _ U E S S S T E I _ _ E N
P T _ A F C G L _ I G _ U K O N _ T _ I
_ R W R O _ I _ F _ _ A A R _ L T _ B G
_ _ O U _ _ N _ _ _ _ R M _ O O C A _ H
S N N P _ _ O L _ _ B _ _ M D H S _ _ T
T T _ H E _ T I _ S I D E _ I E C _ _ H
Y _ A _ S R _ F _ _ _ _ _ _ _ R _ _ _ A
_ _ _ R _ I T E _ _ E _ _ _ _ _ C _ _ R
_ _ _ F T _ N Y _ T D A E H _ _ _ S _ D
_ _ _ I _ I _ I A _ _ _ _ _ _ _ _ _ _ _
_ _ _ N _ _ N T F E T A V I R P _ _ _ _
_ _ _ E _ _ S G G N I N R O M Y T R A P
```

Page 103

```
_ _ _ L _ K C O N V I V I A L I T Y _ _
_ _ I _ _ _ R G L O R Y _ _ _ E F A M E
_ F Z A N Y C A _ _ C H A R M N _ _ _ E
T _ _ T _ _ A _ L _ E S U M A T _ A _ N
_ _ _ _ R _ L _ _ _ _ _ _ _ _ H _ N _ T
S M I L E U M G _ _ _ _ _ _ _ U T I _ R
E _ _ _ _ _ C E L A T I O N _ S H M F A
X _ _ _ _ _ _ E _ E _ R _ _ H I R A E N
U F S E R E N E _ _ E A _ _ A A I T S C
L U M I V _ R _ J O Y P _ _ R S L E T E
T N _ _ D A F _ _ H H T R I M M L D I _
A C _ R P _ R W O _ _ _ _ T O _ _ _ V _
N _ O T _ S I P D E N O T O N _ _ _ E F
T L U M P T E _ E _ _ Y _ P Y _ W _ _ O
L R E I I _ N _ E V _ _ A S _ J A J _ R
E W R V _ C D _ L _ R _ _ G L O R O _ T
T I H _ E _ S _ A H _ E Z _ I V M C _ U
T S _ I _ R _ _ N _ U E V _ L I T O _ I
_ _ E _ M _ A L A G S M _ _ T A H S _ T
_ _ _ J _ _ _ _ _ T _ D A L G L _ E _ Y
```

Page 105

```
_ _ _ _ Z _ _ _ _ _ _ _ _ G E V R E V D
_ _ _ _ E _ _ _ H A R D W O R K _ _ _ R
_ _ _ _ A N O I T I B M A _ _ I _ _ N E
_ _ _ _ L _ _ T I R I P S _ L _ T O _ A
_ _ _ _ _ P _ O P I N I O N _ A I C _ M
_ E _ N O _ P L A N S _ _ _ R T O O A K
_ _ N I E S T U D Y _ _ _ E A E T G N T
_ _ S T _ R _ _ _ _ _ E W C _ S G O _ _
T E N _ H _ V _ _ V R O U S U E W R _ _
I E _ I _ U _ E I I P D P G L H C _ U _
M _ V _ A _ S S F _ E A _ A O _ A _ _ _
E _ D I _ R I I _ _ R _ R W E _ U _ _ _
_ _ I _ T O T _ A K _ O _ V _ _ S _ _ _
H O P E N A _ S _ S M _ I _ _ _ E _ _ _
_ _ L _ L _ I S E E M T _ _ _ _ _ _ _ _
_ _ O _ _ E A T M N O I N C E N T I V E
_ _ M _ _ E A E I M S _ T R A E H _ _ _
_ _ A _ D _ H R _ N _ E P U R P O S E _
_ _ C I _ C _ _ N _ I _ _ T O I L _ _ _
_ _ Y _ S _ C O U R A G E _ _ _ _ _ _ _
```